D0450677

「谁的青春不迷茫」

Yesterday Once More

一个奋斗小青年的逆袭人生

刘同

中信出版社 · CHINACITICPRESS · 北京 ·

自序

写给20岁的自己

手边放了一张你的照片。大二的你，20岁。一件驼色的毛衣，一条牛仔裤，一双帆布鞋，没有发型，笑得很不知所以。我还记得那一天早晨，你为穿什么样的衣服而头疼。最后因为没有时间了，于是胡乱穿了一件，在十年后的我看来，却也蛮清爽的。

现在看来，那时你处心积虑做的一些搭配，常常以失败告终，而随意搭上的服装反而显得像你。当然，那时的你是不会明白的，而如果没有当时你一次又一次的失败，今天的我或许还在老路上一路到底吧。

我记得20岁的你焦躁不堪，宿舍的兄弟们都在聊天，准备去通宵玩电脑游戏时，你表面上欢呼雀跃，心里一直在问自己一个问题：当初我是好不容易考入大学的，四年之后，我该怎么出大学？岳麓山下，橘子洲头，情人滩上，你也混迹于人群之中，看着每一张相似的脸庞，你心里最大的担心是：难道他们都已经知道未来去哪了吗？为什么只有自己那么傻？

傻到没钱买电脑，只能用稿纸一遍又一遍地写日记。因为不知道该写什么，所以哪怕写错了一个字，也要重来一遍，字一点都没有提高，稿纸却费了不少。看着一叠又一叠的稿纸和从未发表过的文章，心里居然没有一丝的疑惑，只会告诉自己说：哇，昨天晚上又写了6页呢！

“如果有一天，你真的成了大文豪，这些稿纸可真的就值钱了。”——这几乎是每天你最快乐的时候。

那时很多杂志社很尊重作者，所以你也就常常会收到退稿信。上面写着诸多类似，却又不尽相同的话。无非是谢谢你的支持和参与，只是你的选题和文笔不太适合他们杂志，谢谢你继续的支持。你把这些退稿信一一留着，很大一部分原因是那些来信上都印了各个杂志社的名字，你偶尔打开看时，总幻想这是发稿通知。你也偶尔会在别人面前拿出这些信来，让他们误以为你和很多编辑的关系相处得体——嗨，那时的你生活得无所畏惧又谨小慎微，任何一点点小的改变都会让你变得自豪。比如“那个编辑居然自己回信拒绝我了，我拿到对方的联系方式和名字了呢”。

写到这里时，我其实很想对你说：虽然你在外人看来挺二的，但也谢谢你那种不要脸的应对方式，让我一直走到了今天，从未害怕过。

终于第一篇文章发表了，稿费是30块。你当然没有把稿费取出来，而是将稿费单好好地折叠起来，放在钱包里，供人随时瞻仰，然后假装很不经意地说：“嗯喏，这笔稿费还来不及取出来呢。”直到稿费单过期，你才把它好好地收藏起来，从未有过兑现它的念头。

这30元的稿费背后，你大概前后花了200多元请客吃饭庆祝。有些人对事情的投入是为了生活，你那时的投入是为了证明你可以。

在医院长大的你，背着你爸报考了师范大学中文系，以至于你和你爸将近两年没有对话，近乎绝交。直到你发表的第一篇写父亲的文章《微妙》发表在省刊上，被你爸看到。他开着车第一次主动去学校找你，请你吃饭。你在去见他的路上，带着170多页的小说稿纸，小说取名叫《杀戮》，故事写的是什么我现在忘记了，因为它没有发表过，甚至你当初写它的时候也就没有想着要发表，我记得你对你爸说的第一句话是：爸，你看，我现在能写这么多。

你爸一直担心的就是你大四毕业之后找不到工作，担心你没有任何可以拿出来炫耀的资本，担心你连你自己是谁都不知道。你那时居然没有拿着发表的文章对你爸说：爸，你看我的文章能发表，我水平够高了。

你甚至提都没提那篇发表的文章，你拿着稿纸说：你看，我多能写。我写了两个多月了，每天都在写，一点都不累，也不是老师布置的作业。说着说着，你眼睛就红了，你知道自己一直让他们担心，你在没有能力时，只能证明自己不怕苦，而他们也终于第一次相信你真的不那么怕苦。

你学会了说“我很好”。

“我很好”不是指你终于熬到有了钱，有了朋友，有了人照顾的日子。而是你终于可以习惯没有钱，没有朋友，没有人照顾的日子。“我很好”是告诉他们，你越来越能接受现实，而不是越来越现实。我没你们想的那么脆弱，离开你们，我一样能过得很好。

你听说参加比赛拿奖可以加素质分，于是从大一开始就参加各种比赛。很多比赛只有几个人参加，所以只要认真参与，主办方一般都会给你三等奖，而一个院级比赛的三等奖能够加两分素质分。所以作文大赛，歌唱比赛，辩论赛，演讲赛，戏剧大赛，运动会，甚至书法篆刻大赛你都参加了。

你花了10元钱在路边摊找人刻了一个名字，然后印在纸上，交给了组委会，获得了三等奖——这个故事成为了你得瑟许久的故事。你丝毫没有为自己投机倒把感到羞愧，现在的我多少会觉得“当时怎么能这样？”，可20岁的你满脑子都是“如何与别人不一样”，“不一样”是个特别特别大的命题，于是你会节约一天的伙食费去刻一个章，你也会拿着精心写的作文去参加比赛。组委会的师哥告诉你：你的文章很好，应该是第一名，但是另外一个师哥要找工作，所以这个第一名要让给他，你还有很多机会的。他还没有说完，你便迅猛地点头，你心里想：得奖本来就赚了，还获得了学长当面的肯定……

那时有人说你是个极其大方的人，其实你知道自己是个极其计较的人。

唯一不同的是，很多计较的人常常会在事情发生时计较，而你在事情发生前就想好了最坏的打算。所以当结果不如你想的那么坏时，你都能欣然接受。所以有人说你没心没肺，说你二百五，你甚至有很长一段时间都认为自己真的挺傻的，现在的我告诉你：其实你一点都不傻，只是你从来没有把自己看得那么重要。

“你曾因此失去了一些东西，但你却得到了更多。”——大四毕业正式进入湖南电视台工作时，你租了一辆车搬家。你当初只提着一个行李箱到的长沙，四年的时间，它变成了一车的东西。四年时间，你得到的永远比你失去的要多。

你曾遇到过一些你爱的人，因为你没有钱而离开你。

后来，你学会了快速甄别发展对象的品性。

你曾因为领导不信任你，而一个人步行两小时落泪。

后来，你学会了如何让领导相信你，并支持你的工作。

你曾因为同事排挤你，而一个人专注于工作。

后来，你也明白了沟通在职场中的重要性。

你曾被老同事欺负，让你学会了如何尽量尊重新人。

你长时间加班到清晨，让你学会了如何调整团队的工作流程。

当然，你也并不是一直都凄凄切切地生活在冷宫之中，期间，你也犯过很多错误，失去了一些本该一直继续的朋友，失去了一些本该关系更好一点的朋友。

但成长不就是这样么？不是学到就是得到。

你成长中所有遇到的问题，都是为你量身定做的。解决了，你就成为了你这类人当中的幸存者。不解决，你永远也不知道自己可能成为谁。

在20岁到30岁这十年的过程中，我们都走过一样的路。你觉得孤独就对了，那是让你认识自己的机会。你觉得不被理解就对了，那是让你认清朋友的机会。你觉得黑暗就对了，那样你才分辨得出什么是你的光芒。你觉得无助就对了，那样你才能明白谁是你成长中能扶你一把的人。你觉得迷茫就对了，谁的青春不迷茫。

这十几万字是我这些年，一点一点记录下来的。每年每年的不同，却每年每年的相似。这些图片是我每次出去，努力拍摄下来的。因为每一幅风景都在我们的成长中过去，唯有如此，你才记得住你经过的它们。

所有20岁的你们，所有30岁的我们，成长不易，青春不难。如今我们在纸上相见，便是一种欣喜的遇见。

有人会因为我们的缺点而讨厌我们，但也会有人因为我们的真实而喜欢我们。我们不必让那些本不喜欢我们的人喜欢上自己，而是要坚持让那些本该喜欢我们的人尽快发现自己。

不如我们定下一个誓约，看看十年之后，我们彼此又在哪里？听着谁的歌，看着谁的字，身边的人又是谁？

我希望你们能够把自己的青春放进来，也希望这本十年的成长纪录能够陪我们到下一个十年。

刘同

2012年10月6日

目录

如果我遇见五年前或十年前的自己

我会对自己说些什么

这一直是个疑问

好在这本书帮我完成了这个心愿

也谢谢你捧起这本书

和我一同经历过往十年的青春

让我们都成为彼此青春的见证者

我叫刘同。现在住在北京四环旁边一个叫沿海赛洛城的楼盘里。七年前也曾经幻想以写字为生。但无奈学识有限，北京太大，我写出来的那些字都不够成为我容身的砖瓦城墙。还好，我生性贫贱，嘴贫性格贱，从不抱怨自己的遭遇，所以投身传媒这一行，至今。

以前我是城市旅人，为工作奔走城市间；后来他们叫我职场达人，为生活奔走于工作。

现在，我和你一样。依然在路上。

2004

2004 年，我 23 岁，那时的我认为 ：

一切都会好的。

因为年轻，所以没有选择，只能试试。

要把快乐放在外面，失落放在心里

无疑我是一个靠理想生活的人，同时我又不是一个有安全感的人，每天生活在危机周围，诚惶诚恐。

生命太渺小，幸福却太触手可及，但是没有谁能够去好好地珍惜。

谢谢你们让我有安全感

每年的交接都是相当的没有头绪。当更多人流连于博客之间的时候，消息一个比一个刺激。比如公司的张小花同学出演了各大精英联合制作的《小强历险记》中的女警,让我傻笑了一个下午。更重大的消息莫过于《新京报》的震荡，又重新上演了当年《南方周末》的剧集。纪念品,政治,口号,主张,收拾,弥漫,伤感。

朋友突然说，我对工作从来没有过安全感。

我有安全感吗?

我在博客上写过很多让自己有安全感的事，比如从湖南一起来的永远的好朋友，可以当兄弟，可以当姐妹，可以当亲人，可以当情人，我们变换不同的角色，因为可以从彼此身上找到安全感。我也就经常沉溺于其中。中间也遇见过很多人，固执地用圈子将他们排除在外，固执地认为安全感来自朋友之间的信任。直到现在，我仍然这样认为。

但是今天之所以写这个，是想好好感谢一下身边的朋友，在我来北京的日子里，如果没有你们，或许我仍然活在18岁，没有成长，谈不上进步。

《希望》的潘西姐。我一直在MSN上喊你小妈妈——因为你在做完我的那个采访之后，告诉我你意外怀孕了。让我笑到晕。

在北京工作很累，偶尔只是帮潘西姐写写稿。某个清晨，我的手机有邮件提示，我迷糊醒来，把邮件打开，就是你给我的信。你说看到我笑的样子就想起你弟弟，你要我努力，你说看到我每天奔来奔去，似乎很可怜的样子，但是更多的是放心。你说无论在何种情况下，你都会相信我。这封信导致我哭晕睡着了，后来我再也没有看过。太真挚的信不能看第二遍，不然就成了麻醉剂。现在每每熬夜到天明，就想起那天七点半你给我写的信，就会感到开心。

光线的 yoyo。经常我一个人面对着电脑，思绪发呆，你会在电脑那一头对我说嗨。你成天开心，但同时你也把过去你的经历一一告诉我。让我知道成功哪有那么容易。曾经我们在光线，你和术在雨伞的后面装动画片，把我笑到半死。那个时候你已经是节目总监，却和我们闹成一团。我一直不认为你和每个人都一样，只是觉得或许我们很像。现在你越做越好，也一直是榜样。你经常在 MSN 上教育我，鼓励我，告诉我应该这样做那样做，我心存感激。其实除了我，他们，我周围的朋友们一样感激，因为你告诉了我们很多东西，成长里的必须。

宝宝小弟。本来不应该写你的，因为你是家人。但是次次我们聚会你都在外面忙碌，近一年你都在为超女的全国巡演而努力，台前的光鲜靓丽，和幕后倒数 321 的你成了对比。你是做选秀，做节目出来的，身边流云无数，但幸好都保持着驱马历长洲无暇以顾盼的心情。人人都是 BIG STAR，要相信你我都是。说到这里，又说远了。之所以今天写你，是因为在这个世界上我最好的朋友曾经和我争吵，而看起来对感情一直冷漠淡彻的你，居然在他生日那天打车到我家拿走了《功夫》的棒棒糖，然后回去送给了他，说是我送的。第二天对方打电话过来问是不是我送的，我卡着一句话都说不出来。再想起这件事，心里特别感激。以前叫你小弟，现在叫你宝宝。希望我们永远在一起。

云南的马岚姐。想起来，似乎除了我的朋友们，只有你愿意通宵通宵地和我讨论小说的情节。你反复和我说，童话的发生，向往一切的美好，让我深受感动。我们凌晨发信息，凌晨互相叹气，在其他人做美梦的凌晨，我们的感情飞速发展。你可以让我犯任何的错误，可以帮助你的朋友做任何事情，因为如此我才相信，你以后对我也会如此。你写了一篇关于我的文字，那是莎木的动画。没有遇见你之前，我觉得生活会很充实忙碌，遇见你之后，我相信我们会骑着海马去水里。

还有《竞报》的何睿大哥以及雨微姐。你们的力挺让我在这个冬天，心存感激。肉丸子与彭彭，我去金鹰节看你们时，只是匆匆打了一个照面，你们说如果我太累就回台里。我嘻嘻哈哈说好的好的。心里却十分明白，即使要回去，也必须不能让你们丢脸吧。网上最红的阿 Sam，同样谢谢你给我们的帮助，我感谢你，虽然你总是说些奇怪的理由来搪塞。还有广州的 Boya，在网上的偶遇让我觉得你是那么的可爱，每天的奇思妙想让我在你身上学到了很多很多的东西。焦老师，天中的亦典姐，两位哥哥，笑笑，平姐等等身边很多很多人，也许我现在忘记了你们的名字，但是请相信，我会记得你们给我的帮助，因为有你们，才让我有安全感继续待在这里，一如既往地生活和工作。

当笔下肆意挥洒的心情化为文字，我将用它记录永生——这是莫言说的。他说这句话的时候，并不知道多年后他居然会获得诺贝尔文学奖。当我写下以上的文字时，从来就没有想过他们会出现在这样一本书里。而最令自己动容如昨的却是——这些人有些没有了联系，有些已经进入人生下一个阶段。貌似只有我，仍和 9 年前记录文字的小男孩一样，一个人在电脑前，习惯性地敲打文字，记录心情。永远都有想不完的问题，处理不完的人际关系，但却不以此为苦。每个人在成长的过程中，每天都会遇见鼓励他的人，幸运的是，我一一记录了下来，以至于今天再想起，心里仍满是感激。

郁闷和难过常不见踪影，快乐与感激却常跃上心头。这本书里每一个鼓励每一个被记录下的人，谢谢你们，当然我也谢谢自己，能够在每天累得跟狗一样的时间里，还能记录下这么几笔。

将近 150 万字的北漂生活记录，成长的过去，编辑选出了 15 万字。看完之后,长吁一口气,原来,每个人的青春都是如此黑暗且迷茫。原来，每个人坚信走下去，都能遇见光芒。网上很红的阿 sam 后来成为了我的师傅，彭彭跳槽到了江苏卫视成为了《一站到底》的制作人，小妈妈结婚了生了一个女儿也叫童童。我没有和笑笑住一起了，但却常常电话联系，对了，他本不是做传媒的，而他现在这份土豆网的工作还是我介绍的。马岚姐结婚了，又离婚了，我们在北京见了一面，后来失去了联系。但她一直微笑看着我的样子，让我觉得真开心。很希望很希望，现在的她一样会开心。光线的 yoyo,当时是我上级的上级,后来我们成为了搭档，再后来，她去了别的传媒公司，一个人扛半壁江山，厉害。

其实每个人都不曾因为苦而放弃，只会因为扛而成长。今天我们轻松了，并不是生活越来越容易，而是我们越来越坚强。

2012 年 10 月 29 日

因为年轻，所以没有选择

去年的冬天，寒冷。忙于第一本书的宣传，回到郴州的时候已经将近除夕。当时《天天播报》的主力记者李锋是我的好兄弟，他建议我不如上个夜间谈话节目，一来可以推推我的书，二来也让我和郴州的媒体朋友有个认识。前者的可能性我当时没有多想，只是觉得自己在长沙待了几年，做了几年的电视，可是连自己家乡的媒体人都不认识，想来有一种人脉不顺的感觉，于是也就半推半就地希望他能够帮我联系一下主持人江杉。

第二天向朋友打听江杉，得知她的名号是“郴州的柴静”。光是那种不温不火的气质就可以将我年少的冲动灭得一干二净。这边还没有担心完，那边就打电话过来说,江杉的电话号码给你,自己联系吧。她人不错,就看你的造化了。

手里拿着电话有点不太敢拨。本来智商就不算高的大脑又立刻被劈成了几块儿。这边想不能丢省媒体的脸，那边想自己肯定会筐瓢，其次又想自己最近染了头发，气质温雅的女生应该不会太习惯，然后劝慰自己，算了算了，这个城市的宣传我放弃好了,反正来年开春还有更大的计划。步行去麦当劳的时候，突然觉得这个城市很陌生，一点一点地改变，像用碳笔勾勒后再一笔一笔地描上颜色。我说给周围的朋友听，几乎都没有这样的感受，而站在主观的角度，那种渐渐成型的欣喜想来也不是每个人都能够体会的。于是想象着和陌生人来谈谈这里几年间人事的变化，是否只是自己心思中的异动。

在这样的情况之下，我给了江杉电话。挂电话的时候回味，她的声音真的很好听。我们约在卢森堡的总店见面，卢森堡是郴州小有名气的咖啡馆，分店很多，一个比一个破落，沿途走过来，推开几乎要倒下的门打听总店，里面的人纷纷告诉我，继续走就可以走到。于是想，何必花那么大的代价开分店，而只完成一个指路的效果。这也是郴州经济膨胀发达的一个小色块。

我到的时候，江杉姐已经到达。一个包厢里的昏暗灯光，让我心绪安宁，我们像老朋友一样互相点头，然后坐下，她问我要什么，我说随便，于是她替我点了一杯绿茶。喝茶的女生经常会让我想到奥黛丽·赫本，想来是之前午后红茶熏染浸透的结果。长的直发到肩,我在心里给了她一个很少用到的词语——干净。这是我形容人的极致用词，然后又听着她的舒缓语气，让我更加确定这个词的涵义。

从郴州聊起，也是我的初衷。应该是对郴州有深刻感情，或者有极度观察力的人才会有想谈谈城市的冲动。之前接过很多专栏，主人公的地点我选择的不过是上海、深圳、杭州之类，连北京都不会涉及。在我印象里北京这个城市太干燥，无论是空气、环境、建设，或者感情，都太干燥。虽然那时没有想到我之后离开湖南的原因居然是因为我选择了北京，一切都不在控制里，因为年轻所以没有选择，只能试试。

因为年轻所以没有选择，只能试试。这也是我告诉江杉姐，为什么我会在高中成绩如此差劲的情况下，用了三个月的时间将自己成功送入本科院校的原因。

是否觉得自己神奇？江杉姐一边问话一边把脑袋低下去喝茶的样子很好看。

没有，只是觉得自己很血性。这样的问题我在大学四年问过自己多次。

就好像这本书里描述的？江杉姐手里拿着我刚送给她的《开一半谢一半》。

或许吧。至少是对自己负责，善于总结的男人，应该不会太差。这是我的理论。

童童是一个很热情的人，对朋友很好的人么？是不是？江杉姐问我。

我想都没想过。

可是我觉得你是啊，和我交谈的时候很轻松，不需要思考，随性而发，让人听着舒服温暖。江杉姐笑着对我说。

我和你说话也是一样的感觉。我说着，脸却有一点红。我不太容易接受别人的表扬。

可是我觉得你很熟，像一个老朋友。她继续说。

哦？那时我心里飘过去的几个字就是“主持人如果修饰语言不够的话，确实也不是一件好事”。

我总觉得在哪个地方见过你。我肯定。

梦里？我微微笑着猜想。

没有啦。江杉姐把头左右摇得飞快。

你是不是在湖南电视台工作？

是啊。

是不是在娱乐频道工作？

是啊。

是不是做过节目，

是啊。

你是不是童童？

是啊。你早不就喊过我名字了吗？我一头汗地纳闷。

原来我们是同行啊，呵呵呵呵。然后江杉姐一个人乐翻了。留我一个人在昏暗的灯光下喝茶。看起来她是很快乐，即使不正襟危坐也是很小女人。忘记是谁对我说过，不是真正矜持的女子才会时刻提醒自己要矜持，而真正矜持的女子反而会忘记。这也是河利秀比女人还要女人的原因了。

那天下午，我们从郴州聊开，到风景，到事业，到朋友，到星座，到习惯，到爱好，到晚上。最后却忘记了我们本来的初衷是想谈谈节目，这可是最重要的事情。那我是否要准备些什么？我问她。

The Seattle Public Library
International District/Chinatown Branch
Visit us on the Web: www.spl.org

Checked Out Items 2/21/2018 13:17
XXXXXXXXX0846

Item Title	**Due Date**
0010080582322	3/14/2018
Shui de qing chun bu mi mang	

\# of Items: 1

Renewals: 206-386-4190
TeleCirc: 206-386-9015 / 24 hours a day
Online: myaccount.spl.org

Pay your fines/fees online at pay.spl.org

不需要不需要，你人来就好了。就像我们下午这样聊就好了。真的。

走的时候，她冲我挥了挥手。外面下着小雨，我突然觉得她有一句话很正确，那就是，我觉得你很熟，像个老朋友。就像我现在在北京，偶尔看见一个背影，我都会想这像谁那像谁，还没有来得及赶上去说话，就一个一个融化在匆忙的足迹里。

后来，我回了长沙，转到了FUN4娱乐。第一次做明星学院宣传的时候，江杉姐给我发了条信息，今天很好，好好加油。看了信息良久，却不知道回什么，于是回了一个简单的“好”，虽然简单，但包含的感情却不一样。观众那样多，而她却是站在理解我的立场去考虑，朋友做到这个分上，应该算是修炼了千年的水平了。

再后来。已经又一年过去，好朋友肖水回到郴州，那时的他已经是中国80后最重要的诗人之一，同时也是复旦大学当年招的唯一的法学硕士。我介绍他和江杉姐认识，大家同样一见如故。回去问肖水感觉，阅人无数的肖水说，觉得她很熟，像个老朋友。于是，我知道了，这句话，是只属于我们这些心里没有芥蒂，真正要好的好朋友的。

很多次教育那些小弟弟小妹妹们说“衣不如新人不如旧”，怎么样用在这几年我认识的朋友身上呢？不论是和江杉做节目也好，私下聊天也好，江杉说得最多的一句话是，郴州很好，记得常常想我们，看我们。很平淡，淡到你可以把它当作套话忽略不计，可是只要你用心，你就知道这样的话里包含了很多的分量，不是一份友情一句感谢就可以承载起来的。用心说出来的话，或许只有被恩泽的人才听得懂吧。先是我记得，然后是肖水记得。不然他也不会昨天给我电话说，好想你们这些朋友，想我们无忧无虑地漫步在郴州街头的时候。你们包括谁呢？包括很有教养也很乖的胡胤，一个正在南京大学读书的小孩，好的专业，干净的气质，若是锻炼几年，在央视做主持不成问题；还包括有着令人艳羡经历的蚂蚁，是我高中时的偶像，现在也是郴州广播电台的DJ，喜欢写东西的男孩子。

第二本小说《五十米深蓝》出版的时候，我已经在北京了。火车上收到江杉姐的短信：无论你作什么样的决定，我都会支持你。而蚂蚁则在我的博客上留言，和我一起分享他的快乐和感受，仿佛我一直在郴州从未离开过一样。

现在北京已经开始渐渐进入冬天，可是我没有大难临头的感觉。想到春节要到了，我们又可以见面，可以一起 HAPPY，狂欢，放纵，聊天，或是逃匿都好，总之我们要回到郴州的，见到这些即使有辉煌过去，美好未来，却依然要驻守郴州的朋友，稍作停留，然后又各自分散。

看王家卫的时候听到这样的话，“我听别人说这世界上有一种鸟是没有脚的，它只能够一直地飞呀飞呀，飞累了就在风里面睡觉，这种鸟一辈子只能下地一次，那一次就是它死亡的时候。”

而我们这些离开郴州的少年，却急迫地期待回来。也许在别人看来，回来就是我们死期将至，可是我们还有风，就是江杉，蚂蚁，李锋，老马，00，老哥，胖子，阿孟以及那些年少一起哭过笑过的朋友们，直至终老……

再看这篇日志，那种 20 岁的自以为是，恣意妄为的感觉浓重又强烈。“一本书的宣传”，“放弃这个城市的宣传”之类的词重复出现，仿如自己已是文学奖的获得者。虽然很多遣词造句完全反映了当时的想法，但最后两段的感触现在仍没有改变过。

江杉，蚂蚁，李锋，老马，00，老哥，胖子，阿孟这些朋友中，江杉姐仍有联系，她现在在湖南省广播电台了，蚂蚁去了广州后断了联系，李锋也不做记者了，而是以统考第一名的成绩成为了政府公务员。00 是谁我也忘记了，可能是大学时要好的一个女孩，嫁给了一家超市老板的儿子，前年起断了联系。老马结了婚生了子，本来以为会一直很要好，后来几次见面都略为尴尬，应了那句相见不如怀念，那时我还一直跟着他到处玩，对服装款式的判断也都来源于他。胖子是罗璇，通过几次电话，他也有了小孩，在深圳工作，见面很少，但往事如昨。唯一一个与我记忆中基本没有改变的人是阿孟，去年春节我们匆匆见了一面，他单身，话密，仍算半吊子的有趣。

我回家常去高中时的学校逛一逛，期许能在上学的路上又遇见一个背书包的谁，当然只是怅然妄想。老师升职的升职，退休的退休，留在高中的，只有那棵老树上的那个吊钟，停电时，老钟响起，全校才会沸腾。

每堂课45分钟，如果放到现在，每一分每一秒我都会尽力去记住老师说的每句话以及四周的每张脸吧。

前两年，我参加了湖南卫视的《以一敌百》。里面好多好多的问题都来自于老师和工作时的闲篇，然后我打败了99个人。任何发生过的都是财富，就看你是否在意了。

回忆是巨大的漩涡，让人无可奈何又身不由己。

2012年10月6日

用一朵花开的时间来听

从我第一次提起笔准备写东西到现在。风格心境已经转了千回。每一次写完文章，不管是刻意地保持青春激昂的少年，或者是人与人之间淡淡的情感，要么是长篇大论你我之间的争论，都注入了一个用心。

对作品用心是必然的。正如我现在重新看曾经写的东西，即使它从来没有被发表过，但是我仍然会很开心，因为我曾经像现在一样的努力，足以感动自己。

由于路上我遇见了很多很多人，他们对我或者鼓励，或者提携，或者支持，所以才会有了今天。算不上够好，但至少自己很安心。

做了这份工作，接触到很多和曾经的我类似的人。他们很努力，但是却默默无闻。晚上听他们的歌，经常会感动，那种孤独不是谁都可以体会的。

曹芳的《遇见我》。搜遍网络也找不到她的新专辑《遇见我》，封面是淡淡的精致，居然可以看到比约克的影子。他们说她是内地的陈绮贞。

你去听《遇见我》，或者去听《ICY是淑女》，懒懒的轻佻的声音，冷静里跳跃着另类的灵动。她曾经作为词曲人出现在金海心等人的作品里，留下的影子是整张专辑里最出色的作品。

《遇见我》的平铺直叙，顺水而下，畅快淋漓。

“这一边是读不懂的忧郁，那一边是大太阳高挂的画”，悠扬的摇摆的轻唱。这是我这些年听见的最喜欢的内地歌手的专辑。有1998年听见朴树时的惊喜。

草丛和树林，勾勒的素描画。西双版纳长大的女孩，有着独一无二的气质。

最初看到内页的照片以为她是台湾或者新加坡的歌手，其实更像是留学回来的英伦女孩。清丽的声音以及状态，只能用特立独行来形容。

李延亮问她每天做什么，她回答：画一张空白的画，买一张单人的沙发，打一通无人的电话，开一瓶无味的酒。

刘允乐的《允乐》。听刘允乐很偶然。回到办公室，发现桌上有唱片公司给我递的唱片，在一堆新唱片里，不认识的刘允乐被大牌们埋在底下。5张整齐地放好。简单的包装，简单的设计，不算好看的脸。

《最后一次祷告》是一首简单的曲目。来回旋律的雷同配上刘允乐厚重的声音，强劲有力，不留思考的余地。"这是我最后一次祷告，全力挽救消失的美好。"

后来刻意去查了他的资料，他说自己最喜欢的歌曲就是上面这一首歌，简单到不需要花任何技巧。不管《允乐》还是《活该》，都是可以唱到人心碎的歌曲。

5张CD都被瓜分，现在已经记不起他的专辑都被谁拿走了。曾特意去问了台湾的朋友他的近况，但回答都是不尽如人意。言下的意思则是不好。

我很感谢他的唱片公司能够把他的CD给我寄过来，虽然到现在我都不知道是哪个公司寄的，但是仍然要感谢。

林冠吟的《我是火星人》。本来以为她会红起来，所以几个月之前就没有写下来。回头看，似乎这样的希望越来越小。

"骑不快的单车，载满你的忧郁"，晃晃悠悠的风景载着长不大的回忆，音如其名，轻轻低吟就可以唱出百转千回的效果。而后无论是《凶手》还是《秦佣》，总是可以让听者迅速地进入感情。

可惜的是，她签约的8848已经倒闭，不知道她下一个公司会签到哪里。

这些歌至今仍保存在手机里，时不时听起。如果日历是时间标注的话，那么歌曲则是时间的内容。所有情绪与言语都被浅浅地埋在了这些歌曲里，曾反复播放的CD至今仍整齐地堆砌在客厅的书柜里。那时觉得分享是一种快乐，后来我又不希望他们被所有人认可，也许原因只有一个——我并不是一个人云亦云的人，所以我喜欢的东西也不需要大众的认可。人常常是矛盾的，你爱一个人，你就希望所有人都肯定承认爱上这个人。但你爱一个歌手，一首歌曲，你却不希望他们能成为万人大合唱的代表。

无论多么落寞和苍茫，那些身影总会过目不忘。

2012年10月29日

把人生也投递了出去

今天上午，突然很想念北京的后海、北方的柿子树……然后上网做了一件好玩的事，把某个朋友的171篇日志从头到尾看了一遍，我想知道在北京生活几年的人会对北京有什么感受。看了3个多小时，喝了瓶牛奶，再加一个苹果，若干饼干。我还挺有耐心的嘛，看完后，我很感动，一个喜欢百合花的，一个会把自己的4笔稿费支援给朋友的，一个与5个朋友共同在北京成长的，一个在娱乐圈打滚而不失梦想的人。很喜欢里面一些文字，摘来记录。

1、后来我明白，喜欢一个事物光有自己的勇气是不行的，一定要让别人觉得你喜欢的东西是世界上最好的。而且要大声地说，大胆地说，理直气壮地说。

2、若是你还习惯于曾经，我们可以换个时间、地点，一起沉溺于过去。只需一个适当的原因。而现在，要做的则是让一起更开心。

要强似乎并不是一件好事。谁要干什么干什么好了，千万别和其他人较劲，不然只是降低了自己的等级，拖累了自己而已。

3、昨天上班上网看到很多约稿的杂志，看到了《少男少女》，好想向它投稿，但又怕被退。初中的时候我和同桌都投了，我写了自己帮女同学翻墙买早饭的事，她只是写了两个笑话而已。然后我的稿子连退都没退，她还退出了稿费来。后来想想，还是放弃了。还是给约稿的杂志写好了，不让自己作无谓的牺牲。

——海蓝蓝日志

海蓝蓝是《少男少女》的编辑，如果不是她把我的日志翻出来，或许我也忘记了曾经动过给《少男少女》投稿又怕被退稿的念头。之所以现在我和她认识了,是因为,我还是义无返顾地投了,虽然没有被退稿,但投了三稿用了一稿,好歹存活了一些。怕是很久没有和人在QQ上这样安静地说过一些话,聊过一些了。QQ的用途是调侃,是分手,是和好,是问答。绝非平静的交流,像河流。就像一群临街对骂的泼妇里,两个人在讨论怎样生孩子。静下来的时候,一个人也可以成为世界,更何况两个人。

在冬天,一群朋友聚在一起吃饭不算最好的事情。最好的事情是一起喝汤。共用一把汤匙,围一圈热气,想念该想念的人。冬天来了,多数的影片都用了飘得茫茫的雪花。世界上无法隐瞒的三件事,咳嗽,贫穷和爱。触不到的恋人,用邮箱来思念。在这个鸟为食亡的季节,我们只能靠博客来挂念。喝一杯温牛奶暖味,手牵手倒在床上迎接暗色的绽放。

如果不是写日志,或许我都忘记了海蓝蓝找出的文字还是自己写的。以致自己在看的时候,陷入深深的回忆,还颇为费力,得仔细分辨各句出自哪里。北京虽然冷,但起码还有阳光可以触及感伤,或者甜蜜。比起记忆里的用便条来记录爱,记录人生,记录一切,如果周围人人帮你一起回忆,超市也可以变成天堂。

我已经不投稿了,准确来说,并不是我不再投了自欺欺人,而是终于熬到了编辑来约稿,写什么用什么了。但是2004年的时候,我是断然想象不到这些的,简直就是天方夜谭嘛。也许是曾经认真仔细写下的文字,仍很难很难被发表。所以现在每一次写的专栏都比之前更为认真。因为知道发表文章有多苦,投稿后的期待有多焦虑,所以现在才更加珍惜每一次写字的机会。苦不是一件坏事,因为它会让你未来的甜更甜。

2012年10月29日

一个靠理想生活的人

有朋友在QQ上给我留言，说在某个青少年杂志上看到我的专访了，于是问我，难道真的想把文学当作自己的未来？其实一直都没有考虑过这个问题，今天被人一问，倒觉得很严重。

越来越多的人把写东西当作谋生的手段，既然是谋生就一定要大卖，既然要大卖就一定要出名，这是一个不争的事实。可是我却从来没有感觉到一点不适，反而对于有的读者来说，对刘同的理解是“又一个靠写东西生活的人”。

无疑我是一个靠理想生活的人，同时我又不是一个有安全感的人，每天生活在危机周围，诚惶诚恐。对于20世纪80年代出生的孩子，尤其对于远离父母的我更是如此，只能靠文字来承载一些想法，用来消遣和打发时间。除此之外，我对电视有着狂热的爱好，曾经有一段时间在文字和工作之间做抉择，最终还是选择了工作。文字只是一个虚幻的东西，当没有更多东西写的时候，面对的就是一个死字。

加入到写字这个行列不算太久，看着纷争四起的江湖，有时候欣慰自己是一个电视人，在北京有了自己负责的节目，可以实现自己的梦想，和一大帮同事一起努力。

晚上下班，用文字来记录生活，和大家分享，定期出一本书。甘世佳同学也是带着文字离开了《萌芽》杂志。这样很好，有自己的工作，把文字当爱好，有一帮理解你的朋友就好了。

没有纷争亦没有盛名，有一个目标就是做一个好的电视人，另外一个目标就是做一个清醒的写字的人。这里知道的人很少，能够聊天的留言的潜水的人，都是刘同的好朋友，高兴就说不高兴就骂，就好像有人说，来到这里看到你那些朋友的留言，即使没有你刘同的出现，都是很温暖的。

高兴ING，所以很希望这里的每一个人都把彼此当朋友，因为你们都和我一样，甚至比我更宽容更大度更幽默更友善。

甘世佳是《萌芽》杂志很厉害的作者，后来好像给薛之谦写了一些不错的歌词，再后来也没有听过他的消息了。我和他也不熟，也都是听朋友说起来的。后来连这个朋友也没有了联系，所以当我现在看到甘世佳的名字时，我也反问了自己，当年是个什么状况。当年他是我们很多80后写字人的榜样，从未遇见，一直听说。

2012年10月6日

有两种不联系，一种是忘记了，
一种是放在回忆里。

每段青春都是苦的，
在后半段会有出路的。

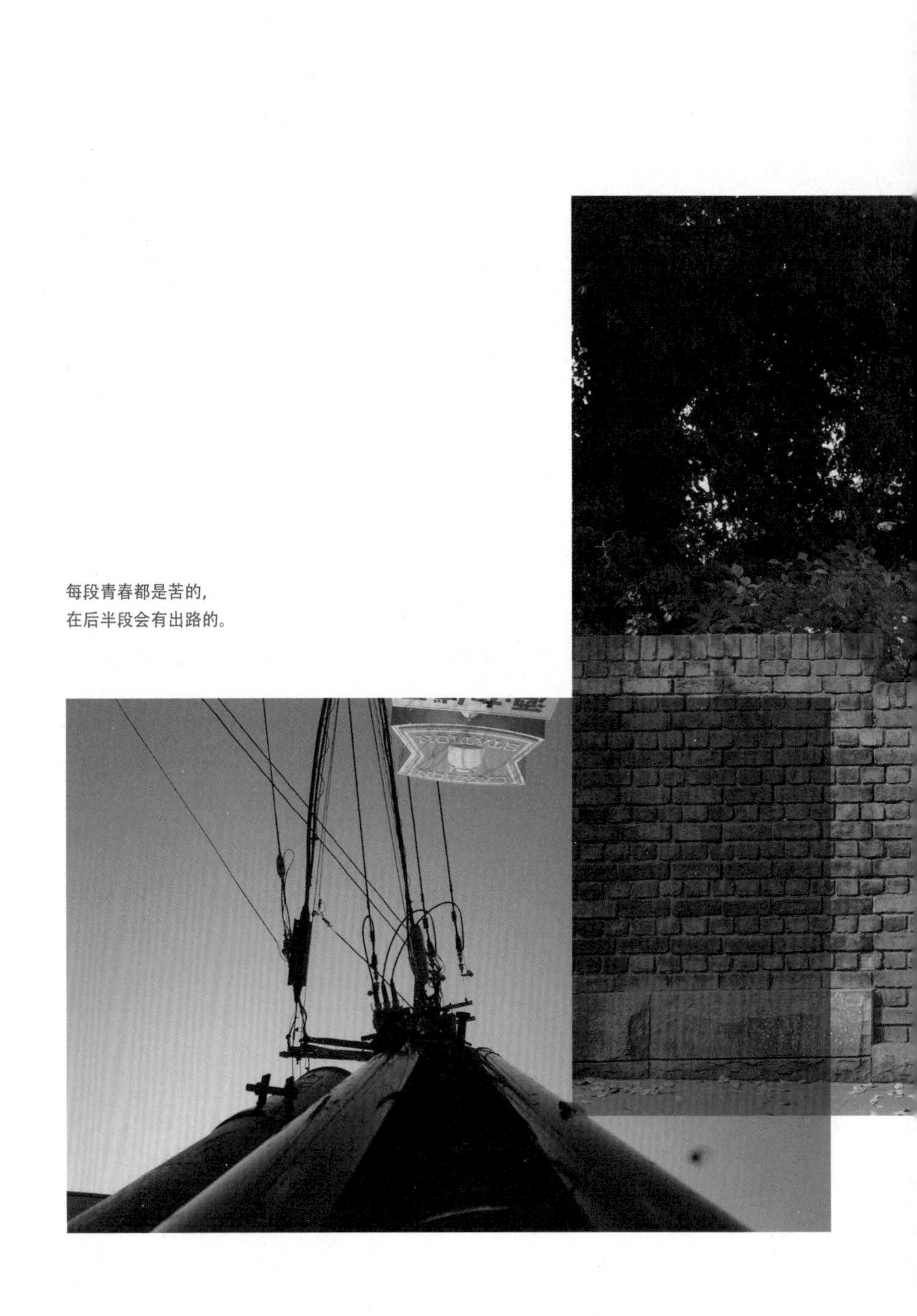

每一个玩笑的背后，都带着认真的意味。

我们之所以战斗，不是为了改变世界，
而是为了不让世界改变我们。

趁一切还来得及

选这个题目，是因为觉得生命太渺小，幸福却太触手可及，但是没有谁能够去好好地珍惜。就像你站在动物园里逗猩猩，你敬礼，它敬礼，你鞠躬，它鞠躬，你朝它扒扒下眼皮，它却拾起一根木棒猛敲你，它知道扒扒下眼皮是骂对方笨蛋的意思。你又去逗它，敬礼，鞠躬，拿起一根木棒敲自己，等着看它的好戏，于是你看见猩猩不急不慢朝你扒了扒下眼皮……好笑？那就放开矜持大笑吧，笑完后，你我要知道，就像玩不过猩猩一样，我们最终也玩不过生命。

荷兰画家梵高有一幅画，叫作“麦田群鸦”，该画的构图由三条岔路展开宽广的麦田。画中几乎没有中心视点，而分散的乌鸦，使画面更显辽阔。梵高使用三原色和绿色来呈现单纯而简明的意象，这幅画充分表达了他的“悲伤与极度的寂寞”。梵高在该画完成数日后，在阿尔的一块麦田里开枪自杀，所以这幅画也被视为梵高自杀的预告。

一张画，把所有的悲伤和寂寞都注入其中，代替自己抽离肉体的感情，感情安置后，人也走了。死其实并不可怕，可怕的是对于死的等待和预兆，而这一切都产生于人在活着的时候对死亡的恐惧。死前最可怕，气数已尽，扳着指头算自己的最后那一天是多么痛苦的事。躺在床上想这个问题的时候，怕自己没有完成真正想要做的事情，怕在这个世间还有所遗漏。没带铅笔，没带橡皮，都是不能够再回来拿了。那个曾经被我骗过的人我还来不及道歉，还有那个曾经暗恋了几十年的姑娘，我还是逮不着机会向她真心告白。一切都是遗憾，病人膏肓，想的恐惧远远大过做的恐惧。陆幼青为自己开辟另一方情感的寄托，他认为有权利比我们先知道，就有义务让我们都体会到。于是《死亡日记》在“榕树下”沸沸扬扬地生根发芽成长落叶，最后化作所有人的祝福埋葬了自己，得到更多的安详。无所顾忌地走，留下一点对家人朋友的牵挂。于是他放心，因为世界已经不缺他，他也已经不缺世界。俩俩相忘，多么的潇洒。

死也可怕。双手叉腰，河东狮子一大吼，可也不过是一个碗口大的疤，不过是一杯可以一饮而尽的血。死亡是短暂的，英语老师告诉我们，死就死了，是不能用进行时的。很多人幸运地经历死亡后又逃离了死亡，往往忘记经历过什么样的痛苦，心里只有劫后余生的兴奋。

“9·11事件”让大多数的美国青年乐观起来，平和地对待人生。生命过于脆弱，人生太不确定。人人都争做人上人，好不容易进入世贸工作，是多么光宗耀祖的一件事，可最后还是和大厦一块灰飞烟灭。发出人生无常的感叹后，发现只有性生活可以把生活的快乐立竿见影地体现，一切皆要及时行乐。

关于死的问题，科学界和哲学界一直存在着巨大分歧。把死亡界定在死和死后两个概念，模糊又牵强。如果一个人真的有死后，不妨想想，以后要一个人走，多么孤单和恐惧。日本自然主义文学的斗将田山花袋氏在66岁将死时，有人问他临终的心情，他以微弱之声回答：“想到一个人孤独而去，真感寂寞。”

可笑的是，平生否定有死后的德国哲学家叔本华也在其受临终之苦折磨时，叫着：“啊！上帝呀！我的上帝。”“先生，在你的哲学中也有上帝吗？”看护他的医生这样问道。“亲受痛苦的境遇，即使哲学里没有上帝，也束手无策。我如病能痊愈，我将从事完全不同的研究。”叔本华这样说着而死去。斯人已逝，哀莫大于心死，而死却次之。死是肉身的荒废，不死却是精神上的完美。有一句话很好地反映了精神对死亡的影响，石榴裙下死，做鬼也风流。死有什么可怕，乐观一点，生命即使脆弱，人生即使无常，我们只要天天幸福，天天快乐，找个女朋友一块做童话里的小王子和小公主，住在乌托邦，渴了喝喝露水，饿了吃吃蜂蜜，困了往郁金香里一躺，加上好些灿烂的阳光，于是我惹谁犯谁，你也都拿我没辙。

这篇文章是我2004年的时候写的，真不知道那时的自己究竟在想些什么。或许人越年轻的时候，就越会想一些深刻的话题以证明自己的不浅薄吧。昨天看到一段话，我们之所以战斗，不是为了改变世界，而是为了不让世界改变我们。当一切你都想明白之后，你大概就会知道，如何活出一个真实、让你觉得舒服的自己，才是最最重要和舒服的一件事情吧。

2012年10月6日

2005

2005 年，我 24 岁，那时的我认为：

我们还年轻，年轻就可以失败。

苦等的幸福，就在于对方的一句“我没事”。

难得的清闲，便是这个年代的奢侈方式。

有的时候你看到我们很开心，是因为我们都更难过，我们学习彼此的优点来缓解自己的悲伤，不是很好吗？

永远的青春，永远的朋友

“6月1日”，2005年的下半年开始了。

最亲爱的易同学春节时很兴奋地在电话里和我说：今年是我们很关键的一年，加油了。呵呵，是啊，很关键。放下电话想起两年前的那个有阳光的清晨，我和瑾同学顺利地通过了湖南电视台的考试，一起去医院体检，人多，嘈杂，谁和谁都是初次见面，有礼貌的互相点头，无礼貌的旁若无人大声喧哗。然后我和瑾同学抽完血,坐在大厅看见一个微胖但明朗的男孩站在外面晒太阳,我说,嘿嘿,那个人好可爱哦，傻傻的样子。瑾看了我一眼，说人家是虎头虎脑，你瘦成这样，说你傻都不配,只配脑积水啊。

那个时候瑾同学的好口才就已经开始奠定。

后来回到台里，男孩跑过来说，你就是那个刘同吧，好棒好棒。

我看了瑾一眼，心里有些飘飘然，觉得这个男孩还蛮可爱的（并不是因为他主动认识我，而是觉得他真是惜才啊，哈哈）。我问他，你叫什么呢？他说我叫唐巍，然后又露出招牌的阳光的傻笑。

之所以开始有感触地回忆曾经的那些日子，是因为看到TIME的留言，让我想起几年前的我们还在做什么呢。

为了打败经视的FUN4，我和巍同学每天去最高级的网吧下载台湾的节目，然后分析，研究，回来自己做策划，交给老大，冲动、自然，时间也飞速流转。那时候我和巍同学轮着做选秀节目，一个下午，我刚拍摄回来，巍把我叫到走廊说他要离开“急先锋”了，去卫视“金鹰之星”。我当时只觉得迎头一棒，一起成长的动力突然就没了，身体也似乎被抽空了一块。留恋归留恋，我记得巍走的时候对我说的最后一句话，无论好或者不好，这两个月的工作你一个人撑下去就是成功。

这句话我一直记得，从那天起，到两个月之后，半年之后，一年之后，两年之后，我现在还是清楚地记得他对我说这句话的神情。

由于瑾同学被分去做现场的综艺节目，很少和我有交流。我只能自己开始摸索，所幸的是老大小曦哥经常给予侮辱与义气并存的教育，让我受益匪浅。也让我燃起对记者行业的信心，每次去拍摄时都会见到FUN4的康康假惺惺地朝我打招呼，然后鄙视——没有想到的是，后来我们居然也成为了朋友。

当时的生活单调但并非无味，每天在众人的鄙视下成长，中午吃着广电门口的盒饭也颇有滋味。经常顶着高温坐在大厅门口吃饭，巍就跑过来给我一瓶桔片爽，让我别噎着了。看着他一直饱满的热情，我觉得自己还是很有生存下去的动力的。只是每天接受他给的3块5一瓶的桔片爽，对每个月工资只有900块的我来说确实有些昂贵，每次喝着他给的饮料，心里都难受得不是滋味。但是我也莫名地相信，我们会努力的，会好起来的，虽然现在没有方向。

后来易同学突然去了北京，让我措手不及，走前的那个晚上我难受了好久，不知道这辈子见面的次数还有多少。当时没有想那么远，在长沙都养不活自己，又如何在北京生存呢？现在我都很佩服易同学的勇气，一直认为他是没有我坚强的，但其实自己才是真正的懦弱，连北上的想法都没有。后来康康也去了北京，而我也因为考研结束无着落，到FUN4顶替了康康的位置，再遇见了小华姐，和小曦哥不同的教育方式，却也是我最感激的人。后来在为《五十米深蓝》写序的时候，我一想到他们，眼泪就不可自抑地流下来。在学习电视的过程中，以及为人处事的问题上，他们真的教育了我很多，也许很多人不能理解这样的心态，就好像瑾后来要随着我离开北京的时候，她蹲在唐姐面前，口还没有开，眼泪先流出来是一样的感觉，对我们来说，他们是我们走进社会的第一个亲人，永远都不能忘记的，永远要存在于感恩之心中的。

我要去北京吗？自己一直都作不了决定。巍花了一个星期每天晚上陪我，最后我作决定时告诉他，我会努力的，也期待我们在北京见面。

我到北京后一个月，巍和瑾也来了。5个人居然就这样在北京团聚了。

我们是经历了多少的波折最终又聚到了一起，如果不是我们自己，谁又可能会把我们分开呢？你有永远的青春吗？问题等价于你有永远的朋友吗？我们的回答是有。我记得我和易隔着网络聊天时的独自感叹，我和瑾在黑色房间里的抱头痛哭，我和康康同时发出的无奈，我们一定要永远在一起。是巍带着哭腔说，你们如果有误解，我觉得很难受。

这就是我们的感情，随着时间的漫漫而成长起来的城墙，经受住了自己的摧残还怕其他的什么呢？

康康总是得意地告诉我，他比我先下载到AMERICAN IDOL（《美国偶像》），然后推荐美国实习生给我看。巍也总是召集我们一起为他的活动出主意。我们争吵我们拥抱我们各自忙碌，最重要的是我们都在共同成长。时间晃晃就过了，大时间是过了两年多，小时间是2005年刚过了一半，还有一半等着我们去努力。

在天微亮的出租车里，我们说，不妄自菲薄，加油努力，多思考。现在的我们依然没有成绩，但有无限的希望和无限的动力，互相的支持和理解，我们还年轻，年轻就可以失败，不过我们尽量希望自己不失败。

说到这里，我也想对王娟说，有的时候你看到我们很开心，是因为我们都更难过，我们学习彼此的优点来缓解自己的悲伤，不是很好吗？

"六·一"儿童节的凌晨我们在京城的最东边的隐秘深处高声讲话，忍者无敌。

这篇文章之后过了没两年，文中的他们创业的创业，结婚的结婚，回家的回家，然后因为年轻的一些冲动和义气，只能私下彼此沟通了。

年轻时因为面子而较下的劲儿，总是需要付出一些代价的。不得不承认的是，五人小团体已经不存在了。每次想到过去，心里还是觉得很有画面感。

唐巍离开光线后，风生水起地干了几年，然后因为父母的原因又回到了湖南台。易同学和康康成立了公司，做了一些很有名的节目，听说很早就开上了大奔，住上了别墅，女孩们嫁为人妇。精彩的剧情戛然而止。

这个假期见了很多同学与老友，喝了很多酒。以前我也想，等到毕业一年，三年，五年再见，但其实过程中很多人就断了联系。所有现在能见到的朋友都是见一次少一次，你甚至不知道下一次再见的时间，所有少年相约的承诺在未知命运前都只是当下的安慰。你总有一天会明白：有些人，有些事，一时错过，就是一世。

电脑桌上养了两株薄荷，有的叶子已近枯黄，摘下来时，仍饱含清新之气，让人惊喜。即使死了，也并非一文不值。恐怕这就是回忆的价值。

2012 年 8 月 1 日

“我没事”的幸福

白色书桌，阿曼尼香水广告。2003年，童的信每周如期而至。青春最为灿烂的季节，他是一直安静陪伴的朋友。12月，信里淡淡告诉我：考研未果，小说未知，左眉开始稀疏，钱包丢失。所租小院唯有午睡低语的母鸡，一个人开始哭泣，那些势必与从前决裂的日子，定有支离破碎的阵痛和藕断丝连的游弋。于是认定最为昂贵的香水该是那一季圣诞礼物。阿曼尼，是不肯放弃黑白两色的纯粹与清明。山长水迢，不过期待冰冷考室里有些微温暖的味道，成全跋山涉水的友谊。今日，北京，他依旧踮着脚摘拾他的梦想。

—— Ann给我写的信。

阿曼尼香水，黑白色，经过了600多个日夜的沉积，淡漠成了灰白的颜色融合在了空气里。600多天前，围麻色围巾，Ann笔下的寒冷让我明澈洞悉，将万里之外的礼物静置于桌头，摇曳的波纹化为茉莉叶子的清丽。

琐碎的回忆，如柳絮绵绵，堆积在路口，成了难以逾越的心伤。

简单的歌曲，哼着飞上云杉的记忆，被白云压得极低的天空下有安的行走。她取名叫Ann安，只是为了在异国稳定安生。细细末末的步伐，隔着万里的清冽仍然可以亲吻她的脸。她说，我走了。我说你走吧。然后转身，从此不再回头，迎着街口的风，感到寒冷横贯于心胸。手里泛着蓝色冷光的DISCMAN，里面有着烟火的光芒，冲破阴郁的长沙的天气，如文身一般将你我的离愁别绪刻在云的背后，被风撕碎，丢在任意的方向。我想象着年幼的我们俯身玩沙的情景，触动了鼻头的酸楚。

安说要走说了三年。我以为给她一个理由，一个释放的出口，她便会学会畅想。后来她真走了，淹没在万千留学的人中间。黑色有荷花纹路的衣服，一头飞扬的长发，她说英国的冬天寒冷，衣服又太昂贵，希望我能够帮忙物色几件寄过去。

我就顶着一头杂草从早晨 9 点的屋子里走出来，步履轻快，淡忘了没有落点的滑行直接到达愉悦的彼岸。一身的落寞穿行于上架新衣之间，多少侧目也抵不过我黑框眼镜之后的满足。考研结果未知，但幸福却在手里，只需要自己一个决定，异乡的她便会展眉舒心，潦草的一个谢谢也足以让我四肢伸展放肆大笑。

返回家中，却突闻伦敦发生了爆炸。冲击波万里外径直掠过发梢，电视上正在进行的节目被中断。我想到安的恐慌，担心捂着脸的她从人群里出现，黑色的有荷花纹路的衣服，上面沾染了你的血色。我立刻上 QQ 给她留言，然后过了十分钟，安的头像亮了，回复：我没事。

我哑然失笑。苦等的幸福，就在于你说一句，我没事。

你说，人生如寄，不过如此。

这是认识我十三年的安姐。她从英国回来之后，一直在上海工作，结婚，怀孕。我从来就没有进入过她的生活，一直平行而望，隔岸感伤。或许这样的距离，我们反而把彼此看得更为清楚。想来奇怪，以前所有记录中，轰轰烈烈的情事大多均已落幕，而我和 Ann 这样淡淡的情愫，却忽而就那么多年。

我记得刚入学校，我为了要进入文学院宣传部做干事，拜托了老乡李旭林邀约安姐。我身上揣了 100 块，硬着头皮点了一份 15 块的小龙虾，最后她笑着看我一个人把小龙虾吃完了。

谁又曾想到，十三年后，在偌大的上海城，二十八层的公寓里，电视上出现了我参与录制的节目，老公说：这个人挺有意思的。老婆说：我们第一次见面他把自己点的小龙虾全吃光了。后来,Ann打电话给我说:你姐夫夸你表现得真不错。

我本想问她：那一次你招我做你干事的时候，肯定知道我不会让你丢脸的吧?

后来，没问。人生如戏，你的一生中，若要精彩，总得靠自己去碰几个配戏的好演员。

2012年10月7日

闲情是最奢侈的

我喜欢喝西米捞。

昨天被小s拉出去喝西米捞。他说这里的西米捞很扎实，每扎只需30元，可以让你喝到吐。前面的形容对我没起作用，毕竟现在也不是一块两块攒到结婚的年代，现在我也没有了哪里实惠就去哪里占便宜的可爱。倒是后面的“喝到你吐”让我颇有兴致，要知道，自从工作之后，啤酒两口干尽，可乐三口解决，除了和亲密朋友接吻，没有什么液体可以在嘴里待一秒以上。

小学老师每天拿教鞭指着我们：一寸光阴一寸金！寸金难买寸光阴！

啪啪啪，被连着揍了一个星期之后，做什么事情都是快快的，所以长大了之后就格外喜欢林夕的词。看他写，爱上一个认真的消遣，不过用了一朵花开的时间。遇见一场烟火的表演，只不过用了一场轮回的时间。

难得的闲情，便是你我这个年代的奢侈方式。

落地玻璃，空气清新，长安街的晚上没有车来车往，一盏吊灯，两个人，不用刻意聊天，装腔作势，随手拿过杯子想喝就喝，人生的前20几年刷刷刷刷地就在眼前过了一遍。

这是一个典型的港式茶餐厅，广东人喜欢在这里喝下午茶，打发时间，悠闲悠闲，懒散得惬意。一壶茶，几份点心，与周围的人和装饰相得益彰。

想象总是美好的，就像我可以向很多人解释何谓不伦之恋，自己却从来没有体验过一样。我可以向很多人建议去喝喝下午茶，但自己根本不知道下午茶里，什么配什么好。

隔壁坐了男男女女一大群，拿着菜谱唾沫横飞，在夜深人静的氛围里着实有些嘈杂。当首的老板戴着粗粗的金项链，笑咪咪的小眼，他把女子搂在怀里，丝毫不费力气。他们点了一大桌菜，然后又问服务员要了好喝的茶。

我知道这里的奶茶不错，人人一杯，唇香齿滑。

有观音还是龙井？当首的问服务员。

服务员有些愣住，在这样的地方，要喝一壶真正的好茶似乎有些唐突。

大声的嚷嚷引来了老板，针锋相对之后，老板推荐了自己珍藏的龙井明前，一壶2000元。客人面不改色说了一声好。20分钟之后，一壶碧绿通透的龙井明前给端了上来。

各自恢复了平静。

我和小s靠在椅背上看逐渐亮起来的长安街，一点一点明晰起来的色彩，心里感叹这样奢侈的悠闲。

那边接连不断的称赞声，当首的告诉身边的女人，你看，这就是一壶非常好的茶。然后女人喝了一口，说，真的不错，很好喝。

30元的西米捞旁边是一壶2000元的龙井明前。

这样的一个典型的港式茶餐厅，人来人往，进进出出，包容着不一样的奢侈和奢华。

那一年的我对很多事都有自己的一套看法，而且还急于表达。换作今天，我肯定闭而不语，甚至都不会记录下来。那时敏感，任何细微的变化都用笔触记录下来。那个餐厅叫日昌，以前常去。后来身边的朋友几乎换了一拨之后，好像只去过一次。水果西米捞仍只要30元，但却感觉不如以前好喝了。

2012年10月7日

一生只被嘉年华骗一次

从嘉年华的大门出来，历时一个半小时，3个人花了1000元，得到一个大熊猫，一个大奶婴，无数的小玩偶。我可以用钱来挑战我的童年，但是他们却不可以。我说的他们是那些真正的孩子。

看见一个爸爸带着小孩站在投铜板的游戏面前，无数的玩偶充斥了小孩的眼睛。爸爸已经满头大汗，小孩依然不愿意走，他的手上只抱了一只小玩偶，看着面前的大玩偶，眼泪在眼眶打转。爸爸说:我们走吧，已经花了600块了。

如果童年要用金钱去换取，他们最终会得到什么呢?

感情不能假手于人，中间一旦掺杂了等价交换物，也许最后记得的只是等价物了。就好像我和你分开最终只记得那个漂亮的送信人。

我想他长大了之后应该不会记得爸爸有多努力地为了那一个大玩偶而顶着太阳去扔飞镖，一个也中不了遭人嘲笑。他只会记得自己得不到那个玩偶，是因为爸爸没有钱。

该死的嘉年华只适合我这种无聊的人，用钱去打发时光，买来一片好景致，用上一次数码相机，当作外景狂拍个痛快。我会记得我投球十投十空，会记得摩天轮40元5圈，会记得鬼屋里的简陋布置，也知道了那些智力游戏都很难玩，游乐场拖着大北极熊走来走去的都是托儿。五光十色的游乐场，坑坑洼洼全是陷阱。我找了很多场景给自己留影，它知道它的一生只能骗每个人一次，我也知道我一生只会让它骗我一次。所以留些影，摆些好Pose，抱着用人民币砸出来的各式玩偶开心地笑，只是想告诉妈妈，自己在北京过得很开心，千万不要担心。

她没有多余的钱让我有个富贵的童年，她把我扔在外面随我逛荡，我学会了爬树捉天牛，把裤衩一脱就跳进池塘游泳，露完了一辈子的点。

嘉年华是让成年人虚荣的游乐场，让成年人装纯情的游乐场，里面全是做作，包括我。小孩的天真只会被淹没。

后来我并没有做到一生只去一次嘉年华。但是那句话倒是没有错的——每个人一生只会被它骗一次。而后面几次，明知没有胜算的我，还是花了不菲的价格换了一堆币，在一次又一次预料的失败中前行。

几年前输得懊恼不尽兴，现在输得尽兴，也不失为一种乐趣。

虽不会花钱时再三算计了，但依然觉得1000块是笔大钱。

2012年3月20日

喜欢就立刻做

看中了阿迪的限量版。一直等着打折。小S下午就告诉我这个消息，哈哈，我买了，最后一双，其他的卖完啦。

于是我就当忍者。

阿迪又推出了好多新款，我又等着打折。然后小水告诉我，哈哈，哥哥给我买了一双红色的，最后一双。

我就指望着蓝色的那双没有人买。

后来小S告诉我，哈哈，我又买了一双蓝色的。

我问小A，请问小朋友有无阿迪的朋友。小A从来就是一个热情好客你和她说话会感觉她时刻恨不得把家产都给你的人。

她说，有啊有啊，你告诉我货号，我给你拿6折。

我告诉小S和小水，哈哈，我的阿迪打6折。5秒后，小A给我发了一个网址要我选自己中意的款式。

我挑了一双白色加绿色条纹的，一双黑色加金色斜纹的。想着又可以动用人际关系节约将近600块，心里好舒坦呐。

我跑到阿迪试了试，42码的正好。很开心地走了。

第二天小A很惭愧地告诉我，只有39的，44的，45的，46的……我们换一双别的吧。

我立刻跑到东方新天地，自己看中的鞋子42码的都卖光了。我什么都不指望了。

如果你喜欢一个东西,千万不要贪便宜,马上去买,不然你有钱都买不到啊。对你喜欢的人也是一样，看上了就追。不要像小B一样，总觉得暗恋的滋味最美，才暗恋对方两天，就成为了人家的第三者，这就是报应。

看上了就追，相中了就买，绝不再做后悔的事情。现在有人问我，为什么你总是那么激动，那么草率地作决定？看到这篇日志，我才想起来,原来早在那么多年前我就说服自己要改变。宁肯作一个草率的决定，也不要一直后悔地回忆。

2012年3月20日

命和认命

醒来已经是下午3点。

虽然说外面的温度已经很低了，但是我在北京的房子还是可以看到通透的阳光，像水面上的波光一缕一缕地扑进来。也许北京最吸引人的就是它冬日的阳光。

夏天打开窗户，看到的是一棵巨大无比的树，招摇着长到了7楼，目光所及之处只是它的腰部，茂密的枝叶如此厚重，绿色也是一层一层涂抹上去，住在这样的楼房里，早晨的心情自然会变得很好。

最近加班到很晚，第二天上午陆续会接到很多陌生的电话，对方突然提起一件事情，让我从脑子里搜索不到关键词，只能用“你好”“是的”“没问题”来搪塞对方的询问，基本上都是没有意义的答案。挂了电话，开始担心起自己的记忆力，怕自己一觉之后什么都忘记了。想了半天，硬是想不起来，再转过头发现已经迟了好几个采访，不禁嘲笑自己平时的效率。

看来一个人最没有安全感的时候就是半梦半醒之间，无论做任何事情首先是怀疑自己，然后下意识地不允许自己出现错误，用找不到缺陷的词语来回答，结果是每一件事情的结果都是双方均很满意，完了互道感谢，挂了电话却不知道自己在说些什么。

以前看书的习惯是睡前看，现在则是醒来看。村上春树的书读了很多遍，总是没有个止境，因为他写的大都是个人的生活状态，而少论及社会意义。所以留下的印象往往是当时震撼过后却又不那么记忆犹新。可见人的状态是经常过着过着就迷失了自己。不然每次看过，再看的时候，怎么又会忘记了当初自己的心境。

一个人的时候看村上的书，则是一种逃避。不过也未尝不可，相反这种感觉经常是以不可抑制的状态出现，一个人，窝在沙发上，一瓶可乐，客厅的时钟滴滴答答，转眼就是一个下午。就像蚕在作茧，只忙于构筑一个人的世界。

很多人的书都可以从中看到作者本人的品行和世界，但往往大多数人的魅力并不吸引人。所以多数的派对作家靠吸取他人精华来装点自己，末了在自己的头上、胸口插上一朵俗不可耐的大红玫瑰，这是类似动物求欢的举动，还是会吸引到一些马路读者。

最近看《SOHO小报》，有冯唐的文章。Boya刚好近期也在网上和我聊起这个人，他颇为自豪地告诉我，2002年就看过冯唐的《万物生长》，言下之意是告诉我，有潜质的东西早就被他所留意，而不是现在人云亦云，简单地就撇清了我和他的层次。

关于命运，小报上很多人长篇累牍。冯唐说：姑娘站在那，我在这，姑娘迟迟不过来，这就是命。我收拾好自己，带着玫瑰和电脑走过去，这就是认命。(原文记不清了，这样解释也不错。) 我自然更喜欢这样的诠释和态度。于是我在网上找到了他的两本书 (《万物生长》《十八岁给我一个姑娘》)，准备订购。买了才发现上个星期用过的10元免费卡号同一用户名已经不能使用，为了买到这两本书，于是我又重新注册了新的用户名，再次降低了我10元的开支。

喜欢上一个作家，这就是命。发现他的书不能打折还坚持买就是认命。如果找到其他的方式来优惠自己，这就是和命运作斗争。

美好，似乎往往，很难在回忆中留下那么深刻的印象。觉得幸福时，只顾记下父母的笑脸了。觉得甜蜜时，只顾听你发出的爽朗笑声了。而其他，却丁点儿都想不起。花香，鸟鸣，清新也不过是当时的心境而已。

而那些凄苦，那些遗憾，反而能将当时的场景完全还原。其实我觉得这个特点尤其好，因为念念不忘往事，也就不会过于沉溺现在的不如人意。现在也没当初那么喜欢冯唐了，微博的盛行，让当初有想象空间的作者变得不那么有趣。

《SOHO 小报》停办了，反而是创始人潘石屹的微博小段子开始流行了。

村上春树的书买了全集放在书架上，一本一本地扫过去，集合了一个日本中年男子漂浮般的生活。貌似我也快到他描写的那个年纪了。

2012 年 3 月 20 日

2006

2006 年，我 25 岁，那时的我认为：

如果让你用一种动物来形容自己，你觉得什么比较合适，为什么？
狗。很贱很贱的狗，怎么弄都死不了，整天乐呵呵的。保持良好的贱狗心态有助于正视自己。

我曾经就答应过你，我会坚强起来，不依靠你不依靠妈妈，完全开始靠自己。

现在我更能体会到朋友的意义：帮你弥补缺失生命缺失记忆的亲人。

今天永远对明天充满幻想，才有坚定的信念活到后天。

现在我们越走越远，越孤单越害怕，偶尔对称的笑容也会幸福很久。

我们都说要做有追求的人，最后往往发现周围只剩下了自己。

能鼓励你的人也只有自己。

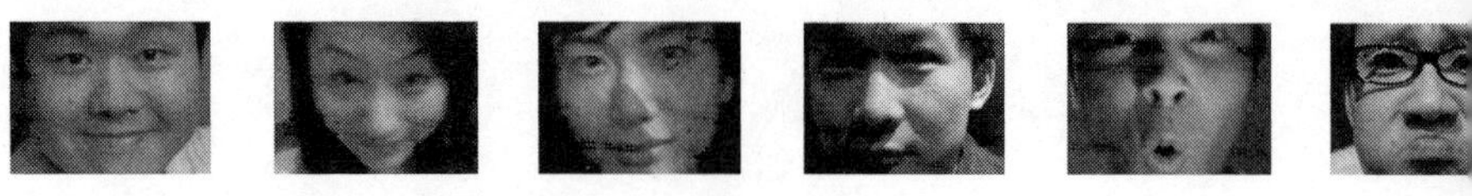
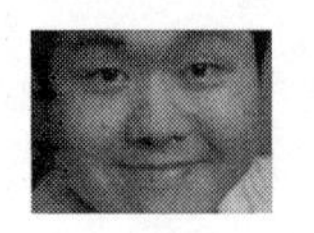

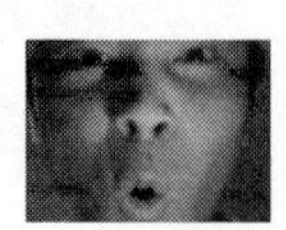

我只是给自己一个假期

25岁了。人生漫漫,渐渐就涨过了25格。爸爸曾经在我18岁的时候对我说,从今天起,你就是一个大人,请不要再指望我的任何帮助。

好的,好的。我曾经就答应过你,我会坚强起来,不依靠你不依靠妈妈,完全开始靠自己。

上一周,陆续发生了很多很多事情。所有的人,亲人也好,朋友也好,同事也好,一面之缘也好,纷纷在问我,关心我。在这里,对所有的人表示感谢。

一年多前,我到了《娱乐任我行》,经历了很多很多压力,遭遇了很多很多考验,然后和同事们渐渐开始了解,渐渐开始体谅,后来我们都成为了朋友。很多同事比我年长,但我们仍然可以平等地交流,你们也给足了我这个小主编面子,让我在成长的道路上迅速地走着。一年后的今天,我来到公司,所有人大概都知道了我要离开的消息。刘欢在MSN上说如果我回来,她会哭。小单写的博客让我很感动,原来最后一天他给所有人发短信邀大家吃饭,只是想证明给我看,其实他一直都是可以办靠谱的事情的。

其实我经常骂你,不是你不聪明,也不是你不够聪明,而是我希望你能够快速地成长起来。其实从头到尾,彻头彻尾你都是一个很好的孩子,很好的记者。你善良阳光,偶尔会有小的脾气,正因为这样,我们才会共事得如此愉快,即使是我离开的时候,我们也会有深深的珍惜。

ONLYWAY,从互不认识,到成为我的小弟,再到“任我行”的记者。大哥

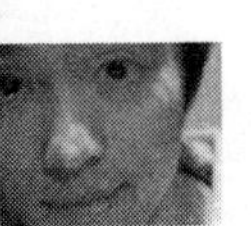
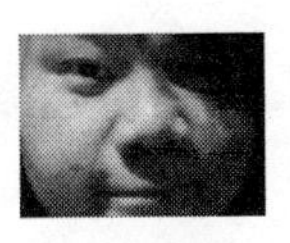
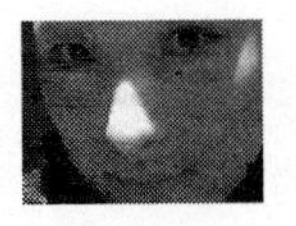

每天都会批评你，也许你很难过。正因为你是我所认识的ONLYWAY，所以我才对你要求不一样，或许你认我这个老大是个错误，我也看了你写的日志，我只想对你说，无论何时，请你加油，我定会在你的身旁。

浪浪是个极其聪明的孩子，最后一天组里去钱柜集体活动。你在玩杀人游戏的时候，那样的逻辑让我很喜欢，而且你和我是同一天的生日，在我下午离开公司的时候，我们来了一个拥抱，化解了曾经的几次争吵，希望你也生日快乐。

小包很舍不得，因为你是一个刚进社会的孩子，我相信你是真的舍不得，我也舍不得，但我们都需要成长，不是么？我们的关系同样不会断。

给我电话的冯娟，看着你很无奈，但离开又觉得不舍，或许这就是一种怀念，包括张舟，猛烈的回忆比不上这样细细的怀念，牵牵挂挂让人更觉得压抑。

你们都写道：进了办公室，习惯性地扭头向左看，椅子已经没有了，没有笔记本电脑也没有人，心里空空荡荡……

正如我在想起你们的时候，写下的这些话，我的离开并不是让你们消极工作的原因，而希望你们能够更加积极地面对工作，间隙时再想到一脸严肃、说话容不得商量的我。

凌晨4点，我和团子走在街上，手里捧着热乎的煎饼果子，她说她喜欢我，喜欢家豪。两个不一样性格的人，却成为要好的搭档，有两种魅力，让人喜欢。

写到这里，我想说，家豪，即使我真的不回来了，你也要加油，千万不要让其他人抓到把柄了，不能丢我的脸啊。因为现在你的搭档是组里最有经验的徐敏老师，他也会做得很好的，我也很放心。

偶尔犯点小错误，却写得一手好文章的崔老师，以后学我把不满发泄在文字上吧，别刻在心里，会引起生理上的不爽。许博老师也请多多加油，你若还记得我在出租车上对你说的那些话，明年今日，我会大大地欢喜，大大地赞美你的。

曲鹏，今天我一样写错了你的名字。所以你会记得我一辈子的。还有欧巴，你经常凌晨3点给我电话，我也会记住你的！

最后请记住，我只是给自己一个假期，也许我会回来和你们继续奋斗，也许我会在另一个高地等着你们继续合作。

现在读6年前的文字，眼睛湿润了。24岁的我究竟有多喜欢装大人啊，那种一遍又一遍的交代，仿佛临死前的遗言，现在看起来只是觉得好笑，好笑之中又觉得当年的自己真的够认真。认真地给每一个人一段话，认真地说着每一件事情。我和小单已经没有了联系，也许是因为一些我年轻没有尽力而为的事情，也许是因为他年轻任性而为的事情，但看着这篇文字，我多少有点觉得可惜。其实，自从不联系之后，偶尔我也在想，无论如何，从个人角度而言，我也应该先和他说句抱歉。至于其他，另说。

听说刘欢已经结婚生子了，我只记得她戴着眼镜很认真地翻译外国新闻的样子。她当母亲肯定是把好手吧。冯娟听说要移民了，上个月还在和我微博留言，有些话不必多说便知道彼此心意。我没想到，她是唯一一个和我保持联系的旧同事。

有两种不联系。一种是忘记了，一种是放在回忆里。《娱乐任我行》对我而言，并不是一个单位，更像是一个学校。正如响哥听完我的叙述之后，对我说，你在那一年真正成为了一个电视人。是的，我就是从那里毕业的。

对了，上周在三里屯的电影院遇见浪浪了。他特热情地对他媳妇说：这是我老领导。我居然比6年前更为紧张。这是我在北京的第一群兄弟姐妹，认识他们真好。

2012年3月23日

朋友让过去有意义

零点，检哥和笑笑联合起来给我送了生日蛋糕，给了我25年来最大的惊喜。还有准时响起的生日歌。肖水给我拨了第一个电话，祝我生日快乐。远在长沙的天嵩弟给我发了第一条短信，他一直都记得，估计还是躲在被窝里给我发的吧。小虫第一个在网上和我说生日快乐，让我听着生日歌看着蜡烛惊喜不已。

叶子说：童童生日快乐，对不起，我错过了时间。我看了看表，只是过了8分钟。我在这边很开心，你真的不用自责，因为，我们是一辈子的好朋友，何必要在乎生命里短暂的8分钟呢？

我记得2004年的生日。那一天，我们在湖南广电的大坪。外面淅沥下着小雨。你和我约在后面的小炒店，你说要好好庆祝我的生日，于是叫嚣着炒了一盘最贵的肉蛋炒饭，那一次吃得那么尽兴，身上只有20块钱的我们，吃了一盘4元的炒饭，竟然就像吃到了世界上最煽情的食品。静谧，雨声，你我，以及淡淡的小欢喜。

你总是和我回忆，和昭昭和巍巍在好乐迪外把你抛起，那是我们坚固友情的序曲，谁都磨灭不去。

后来我想，那我2005年是如何过的呢？2003年是如何过的呢？

我问易同学，你记得我2003年的生日是怎么过的吗？

然后他给我发来了长长的一段话：

2003年2月28日

今天是童童的生日，去年今年物是人非，他也有自己的朋友，也许过得很开心吧。我去取了钱，再也不好意思找家里要钱了，阿智说他病了，没时间理我。月月突然找我说话，欲说还休，最后突然哭得很厉害。最近都怎么了，很奇怪。童童，生日快乐。还没告诉你，我打算下周搬家呢。

看到这段话的时候，我突然就止不住红了眼眶。

一瞬间似乎知道了朋友的意义，那一天，是我和他争吵的日子，我没有和他共同度过生日，但是他依然在远方祝我生日快乐。

你知道吗？在我更年轻的时候，我把朋友定义为：不弃不离彼此信任的亲人。

现在我更能体会到朋友的意义：帮你弥补缺失生命缺失记忆的亲人。

如果不是你的日记，我真的就忘记了我2003年的生活。如果不是你，2003年在我的记忆里变得毫无意义，连一块存储地都不会有。

你陪我走了7年。昨天晚上潘哥感叹说，看我们这样浮浮沉沉，身边的朋友来了又去去了又来，只有我们几个永远在一起，没有酒精单靠感情就可以聊上一整夜的人，似乎聚在一起就像是小说，就像是青春连续剧。

我想说，这出剧永远不会结束，会随着我们的成长而越来越精彩，25岁，我自己添上浓重的一笔。

康康和你同时给我发了短信。这个性格内敛，和陌生人话少得可怜的俊美少年，给我发来了长长的短信，说我们要永远在一起，互相加油，互相保护。字句里都是诚恳，看得我心生温暖，迅速就可以成为遮天蔽雨的茂盛大树，我说会的是的好的，我们永远会在一起的。

巍刚安顿好百事的导演就给我电话希望我快乐，彬和腾讯的人喝酒醉了想起来给我电话，瑾送了我一块金牌，她说她戴了效果很好，希望我和她一样好。

一样好是什么概念呢？就是什么都一样，快乐，痛苦，生活，成长，都一样才好。

25岁前。我们放肆着，娟娟、钱钱和洋洋，夏季就像樱花花瓣后面的笑容，透着阳光灿烂辉煌，但又时刻担心转瞬不见，新朋友的加入总会有这样的担心。没有过多时间的根基，但有瞬间交汇的光彩。

穷哥在办公室放了一双我喜欢的PUMA。好哥祝我生日快乐。最后我祝自己生日快乐，祝所有人都生日同乐。无论是朋友还是事业，在25岁后，都有一个相当稳健的发展。

本来想删除这篇文字，因为上面提到的一些人也早已没有了联系。写到的话，许下的愿望，发过的誓言，其实谁也没有遵守。你看一个年过30岁的我，还在讨论这样的事情，究竟是我太幼稚，还是其他人觉得再提友情羞于启齿？那天回一个博友的私信，我说，其实你为他写文字，为他哭，为他恨，都是因为你觉得他值得你这样去做。没有人能够伤害你，除非你愿意。既然你觉得值得，就不要问公平不公平。既然发生，就得接受存在。因为他们的存在，过去才显得有意义。

穷哥好哥，那么多年了，一直在。

潘哥说的话，当时觉得他太悲观。现在看来，他说得一点错都没有。

娟娟和钱钱，她俩是出版社很厉害的编辑搭档。当初认识她们时，她们也不过刚毕业，便做了很多经典的畅销书。几年前在瑞士公寓的星巴克见了一面，都早就升职，都拥有了自己的车。说到了一些当时的困惑，她们说：不用太在意无关紧要的人对你的评价，但你要在乎给你发工资的人对你的评价。这两个女孩一直都这么厉害，后来就没有再见过。

我在想象，这本书里提及到了那么多的人，当他们拿到这本书的时候，他们会想说什么呢？

2012年3月23日

25岁的自问自答

❶ 25岁时你最大的梦想是什么？

两次做梦的时候梦到新书《美丽最少年》全国卖到发疯，人们奔走相告，被教育部门收回去点名做成教材，然后惊醒……而白天一直想的，就是自己节目的收视率继续涨，让节目的创意风格和收视率都成为同类型节目中的品牌，要一直领先并且远一点才好。

❷ 25岁时你的状态是什么样子？

今天永远对明天充满幻想，才有坚定的信念活到后天。

❸ 你觉得25岁时一个人必须要尝试的一件事，是什么？

做一件从来就没有想过的事情，挑战一个极限，让自己也佩服自己。比如试着去编一个较为复杂的电脑程序；去劝说一个找不到目标的朋友，帮着他一起改变他的现状；也可以去玩一款PS2全日文的RPG游戏，不借助任何秘籍打通关，并且将其中的意思猜个八九不离十……只有自己佩服自己，才能让别人信服你。

❹ 你对自己目前的状态满意吗？

还好。因为年轻，工作上不免遭受到一些不信任，会着急。但在对抗中，自己也渐渐地成长，心态开始平和。有时会想工作是什么不重要，重要的是你努力做了，并且有成绩，你就会充满自豪。

❺ 你是否觉得生活越来越充满压力，你如何面对压力？

是的。大压力要用大幻想去消解。每次被上司狂批之后，就幻想节目会被中宣部点名表扬，像《康熙来了》一样成为内地娱乐节目的模版……朋友说我太爱幻想，如果认识新朋友，觉得对方人好，就开始想下个周末一起去哪玩，要不要大家在一起买房，是不是要请假一起去国外旅游之类的。我基本认同这种说法，不过正因自己喜欢无聊的想象，遇到一些难搞的事情，也能够化解。在幻想里得到满足后，朝着目标加倍努力。

❻ 爱情、事业、友情、娱乐，你如何排序？

友情、事业、爱情、娱乐。(怎么没有亲情？？如果有，亲情排第一。)

❼ 如果让你用一种动物来形容自己，你觉得什么比较合适，为什么？

狗。很贱很贱的狗，怎么弄都死不了，整天乐呵呵的。保持良好的贱狗心态有助于正视自己。

❽ 如果时光可以倒流，你还会给自己规划另外一种人生吗？什么样的人生？

有朋友给我算过，说时光倒流到前世，我是青楼女子。之前将信将疑，后来发现这个朋友只要给人算命，都把对方算成青楼女子。放到现在，可以选的话，我想从事艺术创作类的工作，比如动画设计，音乐创作。实际上我对现在的选择并不后悔，依然喜爱。

❾ 在你成长过程中感觉走的最关键的一步是什么？

第一本书是大四写完的，没有任何门路出版，于是四处求人、上网投稿、上门咨询、不停地打电话不停地被拒绝……感觉自己一辈子的脸都在那时丢光了，但依然坚持去做。当版权被5000元买断时，长舒了一口气。虽说版税太低，被人说成得不偿失，但对我而言，那本书被人认可的一瞬间，也是我20年来头一次被自己认可，从此变得自信。

好吧，这是我25岁的答卷。其实，如果要重新作答的话，也许爱情的排名会更靠前一些。那时觉得友情第一，也许是因为从来就没有真正为一个人付出过，当所有的得到都觉得是理所当然时，就觉得得到的一切都不那么重要了。而现在，当付出并没有得到回报后，才知道原来爱是一件那么重要的事情。除此之外，也许现在作答的措辞会更为工整一些，但是那时的我却如自己希望中那般清脆。

2012年10月7日

每当失去方向的时候，看看内心的光亮，就不会惶恐了。

人生最大的冒险就是不冒险。

很多人闯进你的生命里，只是为给你上一课，然后转身匆匆就走。

告别时的主题，怎样欢乐的颂，
都是欢乐的送。

能鼓励你的人只有自己

嘿。嘿。嘿。

穿着铁灰色 T 恤的你隔着阳光对我说。明明就有一道栅栏，呈铁灰色。

你说我的优点就是视而不见。

那也是我的缺点呢。

如何才能独自撑起一整片天空呢？曾经更为弱小的我问自己。

如何才能找到属于自己的路呢？我曾经坐在铁灰色 T 恤少年的单车后座上越过了大片田野，独立思考问题。可是我现在居然忘记了他的名字，让我思考人生大半个夏天的同学。现在的我越来越不善于表达，就像大学里受的委屈都记录在了文字里，毕业两年的感受都放在了工作里。

今天有人问我，和好朋友爱上同一个人算不算是一种默契？

多年前的问题居然还没有人忘记。好朋友都已经不是好朋友了，默契也早就成了枯骨，埋葬百年回忆。就好像我居然忘记了你叫什么名字。只有时间地点人物刻在过去某一段时空里。

那之后的两天，我和术在湘江大道边拍照，经过同样的大片田野时，我想起单车后座的颠簸，到底是我和你，还是我和自己？

大学时，我把时间过成两段。有一段，没一段。有一段是拿来回忆的，没一段是拿来忘记的。那个在新民路的自己，穿着帆布鞋，顶着大太阳，住到阴暗的最底层，自己给自己做香肠饭，午夜 3 点的那个男孩期盼一顿饭的单纯早已断在天涯。

现在大学同学早已经各奔东西，以前的好兄弟各自努力。偶尔听到谁的消息，也会放在嘴皮上恶毒咒骂一番。他也会饥渴，她也会绝情，他开始会喝酒，她开始会调情。每人一杯 3 两的白酒，一干而尽，两杯下肚忘了是谁出的主意。站在积水的五一大道上，巴士来来去去，飞机早已在午间划过发际，稍稍带些夜间的凉意。

就像如今，我无比怀念河西的师大，似乎只要站进去，生命才得以充盈。我和术和瑾，找着机会回去，哪怕只是坐着 202 路公交擦边而过，也像是靠着心脏安然入睡。我们走在木兰路上说的那些笑话，我还记得。咒骂的那些人，我也清楚。听过的那些歌，还保存在 iPod 里。只是空气里夹杂了太多人的回忆，渐渐地难以从中提取。

现在我们越走越远，越孤单越害怕，偶尔对称的笑容也会幸福很久。

我们都说要做有追求的人，最后往往发现周围只剩下了自己。Only human。

播放器里的《Only human》是《一公升的眼泪》中的插曲，听不懂日语的自己只能体会到这样的感受。Jassie 给了歌词，才发现和自己写的并不相同。这之前，我犯了一个错误，可弥补不可弥补，现在来看都不太重要了，想起的时候总有自责。不过也好，看着你总算微笑起来，自信满满起来，渐渐成功起来，我总算明白的是，花了二十几年总算明白的是，没有什么事情是非得别人和你一起做不可，总有绝境的时刻，能鼓励你的人也只有自己。

听说在那悲伤的彼岸，有着微笑的存在。

究竟好不容易到达的前方，有什么在等着我。

不是为了逃避，而是为了追寻梦想。

旅行已然开始，在那遥远夏天的那一日。

如果连明天都能看见，那么也便不会再叹息。

我总算明白的是，花了二十几年总算明白的是，没有什么事情是非

得别人和你一起做不可，总有绝境的时刻，能鼓励你的人也只有自己。这句话至今仍是正确的判断。任何事情，不要将希望寄托在别人身上，无论是情感还是工作，否则唯一的结果便是措手不及，安全感只能自己给自己。

2012 年 10 月 7 日

电视理想，亘古不变

做电视是我从小的梦想，在任何一个地方都有成长，都有进步。

而到另一个地方的原因也许有很多，但我从不会放弃自己的梦想。

做了3年的娱乐新闻节目，从湖南到北京，回首却又像是在昨天，自己还是一个拿着话筒为一个开场白录30遍的小破孩。

因为报考湖南电视台，考进了湖南娱乐频道，认识了极好的朋友唐巍，和瑾也在这样一个环境里成长,陆续认识了和我年纪一般大小的叶子、张智翔、洪笑、彭莹等等等等，他们一样对电视抱有理想，大家一起讨论节目的制作，只是那时没有想到，又过了几年，再和自己讨论想法的人已经少之又少了，幸好，我们都没有浪费那样的机会。

如果说大学时期在卫视总编室只是接触电视，接触优秀电视人的机会，大学毕业后进“娱乐急先锋”算得上是我真正开始电视人生涯。第一个给我深刻影响的是制片人贺晓曦，跟着当时广电最年轻的制片人也足以让我感到骄傲。虽然当时每天累得半死，但直播后被他一骂又活过来了，从他身上学到了很多做电视的理念，也正因为如此，我到现在对电视都没有畏惧，觉得一切都可以靠自己改变。

后来加入了“FUN4娱乐”,认识了肉丸子、亚飞、彭彭这些年纪相仿的电视人。郭晓华是制片人，第一次见她，心里惴惴不安，见到了之后，才发现支撑起湖南最优秀电视节目的制片人居然是一个文弱的小女生。组里很多同事，都干劲十足。在FUN4，我开始扎实地做起了电视，每天想方设法去做更好看的新闻，做得不好，彻夜写案子，做好了，也会打电话要以前的大哥熙帮我审核。

当初我离开“急先锋”的时候，让他很难过。现在想起来，在加入 FUN4 之后的两个星期接到大哥熙的电话，还很冲动地想立刻回去。只要他说一句，你回来吧。但是他一直都没有说，其实我知道他的想法，他只是对我说，好好做，晓华是一个很厉害的电视人，多学习哦。

为了这样一句话，为了做好每天的新闻，我也会打电话向熙哥请教，虽然最终总逃不过他的“侮辱”，但在两大优秀电视才俊的教导下，我也慢慢专业起来。

晓华姐每次看过直播之后，都会给我发短信，告诉我哪里好哪里不好，让我深受鼓舞。很多短信我都一直留着，每次看到都信心十足，只可惜手机弄丢了，只好把一切刻在脑子里。

离开“FUN4”的那天，我从广电走到了河西，满脸都是泪。手里握着手机，晓华姐给我发的短信我背得一字不差：正因为是你，我才会这样要求你。

其实反过头来想，正是因为晓华姐，我才会变得做事情有始有终，才会努力学会克服那么多的障碍，才会像现在这样，即使在这个过程中，遇见了很多很多阻碍自己梦想的事情，阻碍自己梦想的人，我都会一笑了之，继续努力。

然后来了北京。

先到了光线的《娱乐中心》，然后又跟着焦老师去了《娱乐任我行》。也是由于焦老师的无比信任，我才能够以 24 岁的年纪去管理团队，开始率领大家一起朝着心中的目标前进。港台节目，我和周围的朋友一直看得仔细，既然做不了像《我猜》那样大成本的综艺，那总可以做阿雅的《明星记者会》。于是这样一个理想一直埋在心里，终于有一天，《任我行》改版，我把样片拿出来，找记者们一一谈过，终于做成了内地第一个《明星记者会》的雏形。虽然是抄袭台湾节目，但是大家都把梦想埋在了里面，虽然第一期节目录得很不成熟，但是起码我们终于明白了怎样去学习。

短短几个月的时间，《明星记者会》成为《娱乐任我行》的招牌节目，主持人沈凌的超级表现征服了所有的同事和观众，也让康康称赞他为内地最优秀的主持人。由于大家共同的努力，节目一天一天在变好，我们往记者会里加入更多的元素，更多的信息。台本的提纲每一期我都要仔细地改，就是希望记者会虽然在硬件上有缺陷，但是在整个内容结构上不失专业电视人的水准。当罗志祥的那一期记者会在旅游卫视收视率达到了1.2的时候，所有人都震惊了。那样一个平台，能够做到这样的收视率，简直就是奇迹。我相信，这个模式一定会更受欢迎，还有更大的可能性。

后来因为种种原因，我离开了这个团队。整整一年的时间，彼此了解，当节目正在生机勃勃发展的时候，我选择了离开，有更多的无奈，但是我想，即使我离开，大家一样会努力做节目，让节目更有知名度，即使我离开，我还是这个节目的人。

又因为种种原因，我回到了光线，做《明星》的制片人。为了改变3年来的陈旧模式，周围的好友纷纷出主意，贡献出了他们收藏的德国、美国、韩国、日本、法国、港台地区的所有节目。看来看去，发现电视一直在变，其实也一直没变。因为所有的形式和模式还是一样，比的是谁更细致，谁有更出色的团队，谁有更大的资本。同时台湾明星记者会也出现了大炳主持的版本，一切都在变，一切又没有变。

于是将《明星》改造成小综艺的节目，因为我们有水准超高的编导，还有很多优秀的选秀选手，一切都需要我们去磨合，我也给了自己两个月的时间去改进。日常可以做成歌友会，可以做成红歌汇，可以做成明星培训班，周末可以做成记者会，可以做成发布会，可以做成发片会。

明天是我们录制改版后的第一期张敬轩的播出，上海南京广州武汉等等地方都可以看得到，也许有很多不足，但是我相信所有人都可以看到制作方的努力。我们也在起跑，《任我行》的同事出来聚会，大家都问我：好不好？

好，当然好。

不会因为出现某几个人，某几件事，某几种环境而不好。

关于电视，关于理想，不因为心地善恶，思想幼稚或成熟而改变。所谓理想，就是亘古不变的意思。

今天我重新起跑，《任我行》已经领先许多。都朝目标加油，一切都好。

因为晓曦哥和晓华姐都说过：做电视是自己一直的理想。

这篇看完，觉得那时的自己真乖。把所有的感受一一记录下来，稍纵即逝的心思，全被完整捕捉在这里。我记得在大学宣讲会时，我让大家只要有时间都要把它们记录下来。这全都是你自己的生命，甚至多年之后看来，这就是你的孩子，看你的孩子如何在你的努力之下慢慢变化。所有细微之下都隐藏着春暖花开冰面破裂的巨响。

里面提到了好多好多人，晓华姐和晓曦哥简直就是我电视生涯剧目中的父母角色，我还时不时将他们的名字写错。我记得晓曦哥早因为这件事情猛K过我一顿了。还有沈凌，和他认识的时间最长，总之是一个非常nice的人，那时我记得为了不让他离开北京去上海发展，于是把我表哥，也就是何老师的经纪人介绍给他。然后他就一直在北京了。后来，我们都各自发展，我想总有一天，我们仍会合体的吧。

而关于写完这篇日志后，《明星bigstar》改名成《明星记者会》，再改名为《最佳现场》，一播至今便是7年，收视市场份额也一直是北京地区前三名，多少算是一张合格的答卷。

去年，我突然被很多人认识了，因为《职来职往》。这并不是我自己的节目。有记者曾经问了我这个问题，想起来实在是很尴尬。那么多年一直在电视行业，做着各种各样的改变与努力，却没有一两个拿得出手的节目。你是谁，就应该做什么样的事。所以，在痛定思痛之后，我想这两年总有一两个红火的节目出自于我的团队。也许这本书出来时，它已经被大家认识了。为什么你总是打不死？有人问这个问题，我想过，最好的回答可能是：因为我是一个电视人。

2012 年 8 月 1 日

不发言谁也不知道谁丢脸

有一次长途旅行坐的是卧铺。旅途漫漫，除了看书听歌，最好的消遣方式就是看人。

一列火车上很多人，每个人都带着疲惫的神情以及不为人知的背景，聊得投机或许一刻钟之内就知道了对方的秘密。也许你到了自己的那一站，还对周围的人一无所知。

了解与否并不重要，重要的是你是否认真去观察过一些东西。

故事发生了很久，大概有3年多了，今日才突然想起来，是因为最近很多事情让我感触颇多，面对种种无言，突然想起了这个故事。

我对面的下铺，坐了一个妇人。30岁出头，穿了一套运动装。躺在卧铺上一动不动。

刚开始没有注意，后来渐渐发现，她每隔十几秒，身体就会不自觉地抽搐，然后她就顺势做着掩饰尴尬的动作，比如手突然抽了一下，她会顺势用手背擦汗。

渐渐所有的人都发现了这一事实，而她依然在努力克制自己神经的不自觉的抽搐，同时努力用意识去掩盖自身的缺陷。所有人，包括我，虽然不再看她，但心里却一直在想，她究竟是怎么了？猎奇心理愈发严重。

列车在夕阳中跑入隧道进入夜晚。对面的妇人早早入睡，但仍止不住身体的痉挛，更为严重的是，她躺下之后的抽搐使得气管也发出尖利的声音。

一个晚上在半梦半醒中过去。

第二天一早，对面的妇人已经醒来。同样的症状并没有得到缓解，这时从车厢另一头走过来一个推销员开始推销自己的产品。本来觉得无所谓，后来突然想到，如果推销员向对面的妇人推销的话会怎样。

似乎人人都有感觉，气氛也变得紧张。

一抬头，推销员果然坐到了妇人对面，我也开始紧张起来。

紧张的原因不是怕妇人把推销员吓到，而是怕她克制不住自己的抽搐，而伤了自尊。从她不停的自我掩饰里看得出她是一个自尊心极强的人。

3秒，5秒，8秒，10秒。推销员一句一句地说，我担心她不能控制住自己，心里也在倒计时。

15秒过去了，30秒，60秒过去了，第一次发觉时间怎么过得这样慢……

妇人一言不发。推销员觉得无趣，起身走向另一节车厢。

推销员刚走开5米，妇人又开始控制不住地抽搐，她的手依然在空中画了一个圈，继续擦拭没有汗的脸……

这段记忆写在了某本小说里，每次扛不下去的时候，我都会想一遍这个故事。那天，当她扛过推销员的两分钟后，我应该是哭了。拿出一本小说，遮住了自己的脸，也不知道为何，总觉得自尊的伟大，其实更应该是人性的胜利。我不知道有多少双眼睛看着她，也不知道多少人和我有类似的想法。所以至今，我仍很爱乘火车，卧铺，靠在枕头上看书，沉沉睡去，听铁轨一层又一层地荡漾，在记忆中昏暗地穿行。如果我爱谁，我们一定会乘火车去很远的地方，一路都是风景，包括思考时呈现出来的风景。

2012年7月31日

走远了，一心想回去

假装你还在我身边。也许冷风就要来临。

身边的人来来去去，朋友也交往得陆陆续续。

乘飞机离去，大雨立刻来临，站在城市中央，看闪电划破长天，一群人在某个临界点分离，拥抱抽泣。

于是我也很想哭。

以前总为某一件事而哭，太累了，太痛了，太难过了。现在为了想哭而哭，看他们在哭，哭什么呢？

其实只有没有内容的拥抱才让人感叹，我和你抱紧，越是紧越是有共鸣，共鸣着生活里所有的承受，共鸣着感受里所有的交集。

其实我没有完全想清楚，我脑子里经常会出现一些画面：

夕阳下的山坡，寂静中有一点声音，却分辨不出来主体。遥远的地方有人的身形，但绝对他不认识你，你也不认识他，我走我的路，不知道明天我会做什么，也不知道自己以后做什么。心里绝对不是空虚的，而是饱满的，尚不会观察物体，也无理想成为哲学家。在山坡上继续走着，走过路边的几棵大树，顺手一摸感觉其粗糙，也只是粗糙了而已。

现在的我对这样的场景不止一次地怀念，想原路走一遍，江西的小镇和它的生活，我的童年似乎，曾经真的经历过那里。没有企图心，只是重现，保持冷静，不知道是否可以重合多年前的自己。

人在时光里走着，总以为如果有一样的脚步，一样的场景，一样的心境，就会闪回多年前的那个画面，重新把人生过一遍。

以前爷爷家就是一条直通山上的马路，一边是房屋一边是草地，从上至下。

我常常从上一直走到下，然后再走上来。

现在已经想不起那时走的心情，只是很想再继续走一次，或许遇见了另一个自己。

当朋友从机场逃离北京时，我看到的是另一群自己。他们拥抱哭泣，我心有不甘却无法加入，脑子里全是苦涩。团子说开弓的箭不能回头，我终于可以理解已然向前却无法回头的感受。

现在心里越冷静，天色就越阴郁，我还想起家乡的阴天，人烟稀少的，穿了大毛衣，那时无论穿多少，总还是有风可以灌进去，现在被自己保护得很好，一点寒颤的征兆都没有，只有不寒而栗的念头。

走远了，还一心想回去。

这是6年前的日志。

无论是小时候和外婆待过两年的江西大吉山，还是和奶奶待过两年的湖南荷叶，至今没有回去过。时间隔得越远，记忆就越是清楚。那种深刻的孤独式的记忆，常常来源于童年一个人的时刻，因为没有人对话，所以双眼力图把所有看到的都记录下来。田埂上的一朵花，路边的一根草，三两只踉跄前进的蚂蚁，绕过了一捧土，爬过了一根折断的树枝，我看得到它们的前进，却不知道谁会知道我的前进。那种貌似深刻实则幼稚透顶的思考，却让我的骨子里开始拥有了一股安静的力量。在喧闹时，能旁观。在冷静时，能思考。狼狈时，会克制。失败时，会自嘲。于我是一种假扮的天性，其实是种变相的自我保护。哪怕到了今天，我依然会偶尔地放空，那不是空闲，而是自由。

2012年6月26日

不再委屈自己

改脱口秀的时候，突然想了一句话，是晓华姐以前引用过的，当时印象特别深，于是又拿出来用。

> 爱情本来并不复杂，来来去去不过三个字，不是“我爱你”、“我恨你”，便是“算了吧”、“你好吗”、“对不起”。

是啊是啊，细想或许又不对，但没有时间细想的情况下，对于你我来说，爱情也许真的就是三个字可以解决的，关于情感，或者敏感，然后解释，百般推脱，再来形容，有那纠缠的过程早就淌过无数爱和情了。

雨气氤氲的上海的傍晚，露天的实木餐桌被雨淋了一天巴嗒巴嗒滴水，被跟着一起淋的还有上海四季的植物，仿佛根茎里都会淋出颜色来，房屋里的烛光连5瓦的亮度都没有，泰式餐厅的神秘就在于此，哪怕再昏暗我仍然可以感觉到墙面以大绿大红雕琢出的壁画，浓郁的色彩不以形象出现，而以意象。

爱情也是，常常不因事件的出现而横生变故，有时只是瞬间的感触，因为过于宝贵，过于珍稀，所以一触到阳光，噗就消失了。不像一块猪肉那样风干渐变，变的过程就是有与没有。

这个年纪身体也似乎停止了新陈代谢，表面的若无其事对身体也有十足影响。当年日书万字，现在只能每天写2000字。节目的收视率也随着天气转暖而日见起色，下午6点逗留的人越来越少，都转化为收视率了。

有一种米做的发糕是我3岁生活在江西时每天早上必吃的早点，22年没有邂逅了，最近在超市里找到，买来当零食吃。1.5元一块，混乱地堆在超市角落里，没有次序，于是一次买了10块，看说明书只能放3天，那就早中晚各一块。

遇见一个聒噪的男人，对任何事情都没有耐心的分析，而是大惊小怪地惊呼。对任何挫折都没有谦虚地反思，而是跋扈地不屑。从城市的东边一直到城市的西边，我不得不戴上自己的MP3来应付与他之间疲于奔命的对话，但又不得不一次又一次地摘下耳塞来应付他尖利的尾音。

我必须承认那是我读大学时用最短时间决定想杀的人。

而当时我的精神状态已无法抑制，有时走着走着，会突然转过身，握紧双拳，然后皱紧眉头狠狠地对自己说一句：真想捏死他。继而若无其事地继续与他并排行走。现在想起来，还觉得自己那时的举动真恶心。

现在的我已经不会委屈自己了，起码，有时即使委屈也是因为自己说服了自己。但我仍没有改变听歌的习惯，一张32G的SD卡保持每日更新曲目，同步iPhone与iPad。不想说话的时候，就听歌，一首接一首，轻易就能忘记时间。只是关于爱情的感受，仍没有改变。

2012年7月31日

2007

2007 年，我 26 岁，那时的我认为 ：

一些人存在的意义总归是让另一些人成长，然后消失。

无数个你组成了今天的我。无论在哪个城市的哪个街头，眨眼低眉举杯的恍惚间都有你的影子，感谢每个人的存在使得我们的生命有了不一样的意义。

有的话只能靠药物的麻痹才能说，有的人只能靠酒精的挥发才有自己，有的情只能靠时间的短暂才能珍惜。

生命的意义不在于人健壮时有多么辉煌，而是在它逐渐凋落时，有明白她的人在一旁静静地陪她待着，不言，不语，屏息中交换生命的本真。任凭四周的嘈杂与纠纷。

靠幽默与搞笑出道的人，不到功成名就的那一天也许永远都没有流泪的资格，只能重复着自己的过去，打着鸡血活出人的一生。

26 岁的失语人生

掩面的雪像樱花，寒栗的你开心吗？

盘旋城市的桥像四周环水的岛，一场雪花就铺成一个冬天，瓢泼大雨也可比作上天哭泣。

我从岛上疾行着走过，偶尔想起被放逐的你，遥远他乡的平淡生活，你是否已经放弃当初豪华至死的理想？

我若不喜欢你，怎会和你做朋友？我若喜欢你，怎会仅仅与你做朋友？

流火阶梯和如梦风景，青葱细指加上凝露肤脂，巴黎香榭亦幻亦真的烟香火气，她是裹着离肌肤不过 0.01 厘米的纱薄紫红衬衣。指头划过你额头，香气熏过你喉头，似被下了蛊，开始梦想一出因你而起的主角舞台。

时过境迁，电话线那般纠缠，仍然抵不住你与生俱来的嚣张，是宠坏了，还是习惯了？

习以为常不以为苦，台湾的徐老劝我的话。话语淡定，浮海生涯。他对海面冥思，看透了掩面的雪和樱花，忘却了寒栗和心情，手臂平平伸展，他说，世界不过是左眼到右手的距离，用手掌的纹理丈量阳光。

26 岁的生日日趋接近，书写也因此变得困难。一个字就是一桩心事，一个符号就是一个结局。年过 20 的符号学，年满 26 岁的失语人生。

已然想不起 26 岁时的恋情。全因 29 岁时的折戟沉沙。那时还写了文字专门悼念，谁想到过了几年都不记得谁又是谁了。时间是我们正在服下的毒药，也是未来我们的解药。时间可以改变一切你认为改变不了的。现在看来，真是如此。那年一起吃饭聊天的朋友早已经形同陌路，那时以为我们会相亲相爱下去，现在看来觉得这样也好，我们终于找到了我们最合适的位置，互不尴尬。我有时很庆幸，因为文字的记录，让我尽早地明白了很多人晚年才明白的道理,而省了很多浪费时间的弯路。

记录，是一件拯救生命的决定。

2012年3月23日

遇见另外一个自己

有的话只能靠药物的麻痹才能说，有的人只能靠酒精的挥发才有自己，有的情只能靠时间的短暂才能珍惜。

爱人不容易恨人也不容易，需要时间来处理，可是短暂的时间里，你是谁，叫什么，喜欢哪样的唇色，挑怎样的贴身花色，都是未知的答案，与其不明不白地相处过，热情过，最后连基本感恩的时间都没有，你会选择仇恨一辈子吗？你说如果是你，你会。

你这样充满期待地问我，我的回答是，不会。我连爱的时间都不够，怎么会有时间去恨呢？

美丽最少年，美丽了年华，颓废了脸颊。坐在红酒杯的后面，看见你灿烂有如桃花，忽明忽暗的神采在春风里荡漾，明媚的胸花上绣满了你的资本，金色银色，都是最奢侈的色彩，靠青春来承载，与资历无关，那是令人艳羡的生命。自知无法抗衡，于是埋头混迹于各种量贩式的KTV，点着一样的歌曲唱给自己，最后因为胤的《未央歌》和《六月过后的那个夏天》而心情沉重地在城市夜色里独自穿行。

人与人之间需要怎样的交流才能彼此洞彻呢？一幅幅幼年的照片，一张张小学的试卷，我说我曾经把8横过来写，写成了∞，我以为我明白就够了，在我的世界里，两个符号并无不同，可是事实证明却是不可以，血红的大叉，让我升初中的数学成绩与满分失之交臂。阅卷的老师是爸爸的朋友，他不解地问我为何要把写了近10年的8写成∞，看他期待的眼神我也不知道如何作答，因为我只是突然想这么做而已，也许做得不是时候罢了。

那是我人生中人为的失误，或是区别自己与他人的少数的证据。人海茫茫这个词我不习惯用，但在寻找类似的共鸣时，我内心是多么期待人海茫茫中还会有另外一个人和我有着一样的冒险，全然忘记分数的重要性，只记得人生有这样那样的不平常。

看《落叶归根》，我看到的全是隐约的泪水，大片大片绝美风景中蕴藏着的人生的无奈。老赵跟在小夏后面张开双手笑着奔跑，向往人生还未完成的目标，那才是最揪心的地方。

人的一生都是在寻找另一个人，另一个人就是另一个自己。你们是生活在不同地方却有同样经历的两个人。

也许他从来不会说“我爱你”，你也不会。但你们却走到了一起，因为你知道他也像知道自己一样，他一定会因此而爱上你。

不过也只是上个月才明白的道理，相似的人可以一同欢愉，互补的人才适合相伴到老。孤独感，并不是靠“在一起”三个字就能解决的。孤独感或者与迷茫一样，都是始终会伴随人一生而存在。如果你一直保持着思考的状态，灵魂就始终在空间里飘移，不会存在固定，每一秒仅仅都是上一秒的固定。而某种状态的孤独，才会让我们每个人呈现出新鲜的自己，在茫茫人海中让人得以辨认。

2012 年 10 月 7 日

这一生，下一世

江西的矿山巍峨而遥远，总有缓慢的矿车在山的脊梁上来回地穿梭。站在外公家的院子里远远地看着，心里有说不出的异样。

江西的矿业曾经非常发达，矿工出身的外公是当年江西省的第一矿务书记。记得我4岁的时候和母亲回江西，下了火车总有外公的警卫员开着吉普在外面等着，在发电报的那个时期，外公家早已经有了装蓄电池的话机，和现在唯一不同的是需要接线员帮忙转出去。在这样的环境下，不苟言笑的他给家里所有的人带来了无比的安全感。

外公家的晚饭时间大概是下午7点，很多时候全家人都坐好了外公还没有回来，于是小舅便会带着我去接外公，远远的五楼上外公正探头朝下看，看见我们便大声地挥手说："我忘记带钥匙了。"——他常常会忘记带钥匙，然后把自己锁在办公室里。

外公家有前院后院，前院是大片大片的假山，后院是大片大片的植物盆景，小学时学到"昙花一现"这个成语时，全班同学似乎只有我一个人看过真正的昙花，当时我还记得外公非常骄傲地告诉我什么是昙花，然后命令全家人坐在一起等待昙花的开放，以及分享清香。

对于盆景外公是极其热爱的，四处搜集也会自己修剪，哼着小曲自得其乐。

可我也像所有的小孩一样，对外婆依恋而对外公总是害怕的。

他经常会眉头紧锁坐着发呆，4岁的我根本就不清楚人生为何有那么多的不愉快。外公外婆一共生了2男4女，都对我宠得厉害，因为我是家里孙辈中的第一个小孩，所有人都把精力投入到了我的身上。

大姨教我一辈子都看不懂的英文，估计阴影从那时就开始有了。二姨出很多题目给我，并把周围院子里的小孩组织起来进行考试，我常常是第一。三姨不是外婆亲生的女儿，但是却对我照顾得无微不至。小姨比我大不了多少，她的衣服都是专门找人订做的，早早就用上了蕾丝的花边，所以小时候每次我没衣服穿时，外婆都会从衣柜里拿出漂亮的蕾丝花边的外套给我换上，然后我开心地穿着出去逛荡被很多人围观，纷纷扯着我的衣服问是哪里做的，料子真好，手工独到。

小时候就穿了蕾丝边的我总被人误认为是女孩，所以现在我一看见蕾丝边就想逃跑。

经济萧条下来，外公的眉头更为紧锁。

5岁时我被父母接回湖南开始了学习的生涯，舅舅们去了广东，各自安家立业。外公外婆光荣退休被接到了广东安享晚年。

再后来，记忆逐渐模糊，有关外公的记忆只是皮肤上的刺痛，那是他少有几次用胡须刺我脸留下的感觉。寡言，少语，懒于解释，只因为一切都在继续、在努力。

我大学毕业，外公的身体也虚弱起来。每次去看他，都不会忘记给他买最好的香蕉，那是他最爱吃的水果。当然，舅舅也说，外公能够活到现在已经很不容易，当年他那些吸足了尘土的工友们因为肺病相继离开，只有他还能够看到那么努力的我们和即将长大的你们，他已经很幸福了。

有一张照片是去年夏天回去和外公外婆的合影，恍惚之间，就回到了江西的那些年，树荫下的院子，假山里的泉水汩汩流动，配合着大树上的知了声，绿色氤氲到了整个院子。他躺在后院的摇椅上，阳光洒在他的身上，经过的人也是蹑手蹑脚。那时的他没有想到，他养育的这些孩子原来可以长得这样茁壮和健康。

去成都出差的前一天，公司的中央空调开得没有节制，想起来和爸爸通了电话，提及前几天外公因高烧而住院，长时间的沉默后，他第一次在我面前哭了出来。

就好像被摁进了水池里，无法呼吸，不能呼吸，只是怔怔地立在那里，眼泪也哗哗地落下来。他说的话我一句也听不进去了，脑子嗡嗡作响。

“所以，其实追悼会也办得热闹。外公的一生以清白开始，光荣收尾。因为一切来得仓促，你离得远，工作也忙，所以外婆不让我们通知你。”

我能想象到外公最后的时刻，只有一位孙女在旁紧握着他的手，连他最爱的小舅舅也没有见到最后一面。想必他也很想很想最后见到所有人，看着在他庇护下变得健康的我们，走之前也没有那么留恋。

作为长孙的我，没能见到他最后一面，也没能跪在他面前磕个响头，压抑了数天的情绪，也只能在其他的弟弟妹妹得知了情况之后才能诉诸文字。

他曾经和我们的父母说：“你们都必须离开这个矿区，这里并不是你们的未来。”于是他的后半生都在为此而努力，于是我们的父母各自生根发芽，一个个远离了他和外婆。我大学毕业后也很少与外公碰面，一年3次长假，也是匆匆地扒几口饭，和他大声聊天，他不知道我在北京的状况，他只知道我在首都工作，也就变得很放心很放心，不需要聊什么，他总会有笑容堆在脸上。

那种皮肤上的刺痛感久久存留，只是，我仍不相信他已离开，如此平静。

但无论在哪里，他对我们的要求只有一个，努力并坚持。他一生的追求是为了全家几十人的未来和幸福。眯上了眼，听到周围人的喧哗也觉得内心热闹起来。

外公的一生便是如此。他的未来也因为这世的成功而变得更为令人期待，可如果真有未来，我相信无论是我还是他们，都愿意未来仍然在他的庇护下继续成长着生活。

做永远的长孙。谨以为念。

现在每次去看外婆，都会进门敬三炷香，然后嘴里碎碎念着，和外公开玩笑。告诉他，我们几个姊妹过得很好，不要操心了。时间是最可怕的杀手，这不知是我第几次感叹了。如果当时的我没有记录下所有的种种，那一涌而上的回忆，早已经在这几年纷杂的环境中抛弃得一干二净，而现在，又哪有这样的心境认真书写出心里的每一个字呢？爸爸第一次在电话里哭，可见外公对他有多么好。我在公司的酒吧放声大哭，多少是因为能见而未见而后悔的。这本书里的文字，现在对我而言，最大的意义就是能够送给所有我记录下的人，告诉他们，谢谢你们曾在我的生命中留下那么重要的位置。

2012年10月7日

即使不能扬名立万

“他继续给别人上音乐课，直到去世，从未试图过扬名立万，他所做的一切都成为了他的秘密。”这是放在电脑里两年的影片《放牛班的春天》中最后的一段话。

一些人存在的意义总归是让另一些人成长，然后消失。

无数个你组成了今天的我。无论在哪个城市的哪个街头，眨眼低眉举杯的恍惚间都有你的影子，感谢每个人的存在使得我们的生命有了不一样的意义。

那种第一次被发现，第一次被体谅，第一次学会感激，第一次微笑背后都是因为你的努力。而后人生的路还有很长很长，即使不能扬名立万，能够继续有勇气走下去，也是因为在我生命中从未张扬过的每个你。

有一些电影，一些台词，因为让人温暖，而让自己在现实中努力去靠近。这些电影让自己变得温暖又敏感，尽量善良，尽量靠近。

2012 年 10 月 7 日

没有那么多因为所以

有人似茉莉，孤立于天地间只有纯色，但却有震慑人的力量。那清香与芬芳捉摸不清的夏季午后，那份扫尘般的随意的动作成了后几年闭上眼就会出现的画面。

你说并不是每个人都适合用茉莉来形容的，那是娇嫩而易于凋谢的生命。如有的书签可以用来收藏，有的书签可以用来夹行。而茉莉花瓣……想了许久，你说，还是适合放入记忆典藏，有午后的花香，有色彩的彷徨，有青春的迷茫，对了，多年后也许你会因为Jasmine而想到我的脸庞。

我们接触与交往没有超过一个月便在年少轻狂中结束，你经不起摧残，而我也受不了怠慢。你是多好的孩子，每件衣物都一一挂在橱柜里，沾满了阳光和消毒水的味道。窗台有文竹和茉莉，清晨起来便有绿色的雾水气息。你还喜欢听王菲的歌曲，在嘈杂的酒吧里雀跃地给我电话：听说王菲要开演唱会了，你陪我一同去吧。

你说什么？

我说王菲要开演唱会了，你陪我一同去吧。

你那边太闹了，你说什么呢？

王菲演唱会一起去吧？

谁的演唱会？

算了……

哦……

后来我也知道，很多事情不能像反刍一样进行探讨，否则就会诸事完蛋。为什么事情总得坚守个因为什么，然后什么，把来龙去脉问得一清二楚。我也总算开始问自己，这么做的目的究竟是为了什么？

你第一次朝我洋溢起微笑不为什么，不为那天我很帅气，不为那天我很干净，不为那天我抱了从图书馆借出来的厚厚的传记，不为我走路不小心撞到了你——这些都是我以为的“因为”，如果没有这些“因为”，那时的我不知道如何继续之后的“所以”。比如“所以我们后来在一起……”你笑只是因为你想起了你小时候撞到别人的画面而已，我慌张地道歉，迅速地消失，你甚至都没有分清楚我是男是女。

你最后一次对我说：你走吧。我回头问：为什么？

也是后来才明白，哪有那么多为什么，只是因为已是夜里十一点，谁都应该回去了。那时的我也不明白，又以为是无数因为之后的所以，所以……我走了就再也没有回去过。

因为种种种种的原因，我在网上突然听到这首《Jasmine》，想起我那些不堪回首的曾经的点滴，执着于当时的义气，也庆幸现在不再拘泥于那么多的因为所以。歌非常适合你，歌手也是我喜爱的熊天平。

你我需要多久的时间
几月几年还是永远
幸福会不会重演
让我再看你一眼

远处教堂传来的钟声

深深敲醒记忆的门

第一次牵手的地点

甜甜的滋味环心田

Jasmine

静静偎着红砖墙

印着我们的图样

怕时间会遗忘啊

就永远都难忘

Jasmine

空气中久违的清香

像你的名字一样

随着那淡淡芬芳

叫我永远又难忘

一辈子惦在心上

惦在心上

依旧是满天星光

月色盈满了眼眶

把你的歌声轻轻地唱

随着海洋送到你的地方

所有的青涩都是最美的，最后的遗憾都是印象最深的，后来号码换了，再也找不到那个人了。其实有一次在酒吧见到，但早已不是记忆中的那个样子，于是没有鼓起勇气去打招呼。每个人都在变化，却不似当年那般的纯色了。和记忆中的人恋爱，永远不会失恋吧。

2012 年 10 月 7 日

人生的一碗面

回家第一天是表弟考上大学的庆功宴，站在他旁边看他从一个街头的篮球少年老老实实安静长成一个大学生。穿的还是往常的街头服装，只是别有用心又小心翼翼地在外面套了一件米白的马甲，上面缀了一朵胸花以示重视。

他母亲看了很好笑。我只是在一旁默默地看着，看他递烟，看他发口香糖，面对陌生的长辈局促的样子。怎么想象得出他一个月长时间的旷课，一个星期便穿坏一双 NIKE 的篮球鞋，一天也不愿好好看书的过去。

爷爷奶奶从姑爹的车上下来，颤颤微微，几乎让人看不出精神状态，离我上一次看见他们，似乎已经有了很长很长一段时间。

我走过去扶他们，他们从我身边经过没有任何反应。我愣生生喊了一句奶奶。她也只是看了我一眼。

在旁人的提醒之下，她才恍然大悟，面前的我是她的长孙。

她非常歉意地握着我的手，说我变胖了，头发剪短了，连说话语气都变得跟以往不同了。

上次见面只是在半年前，半年我的变化不足以陌生，半年她的变化却让我感到莫名的恐惧。

那是有感知地面对至亲，因为生命逐渐衰落而暂时遗忘世事的现实。

味觉是最易存留在内心的东西。

去年春节，奶奶一动不动坐在沙发上，看着她看不清楚的电视，听着她听不清楚的声音。与旁边喧哗嬉闹的家族其他人硬生生地隔离成两个世界。突然想起她曾经给我做的面，里面放了无数的小料。那是只有她才知道的小料，每年回家都会吃上好几碗。其他人在吃大鱼大肉时，只有我会要求奶奶给我做一碗简单的面，然后过一个满足的除夕。

那一刻，她静静地坐在那，我突然对她说，我想吃一碗面。

于是她站起来，摸摸索索走到了厨房，开始为了我，重新做起味道永远不会变的那碗面。

我静静地站在一旁，无心地按动着相机的快门。我知道，或许她每一个动作都有可能是她给我做面的最后一次动作。我不知道那天之后，我是否还可以再吃到她给我做的放了油渣放了蒜姜小料的面。

也许，这个世界上，除了我关心这个问题之外，不会有人再关心是否世界上还有同样味觉的面。奶奶不会。父母不会。至亲不会。至于我的晚辈们，他们已经可以在麦当劳肯德基里安排他们的除夕晚餐了，他们永远也不会知道他们的奶奶原来可以做出那么好吃的面。

一碗面的历史，长达十几年，一一扎根在了一个人的记忆里，略显寂寞。

热气腾腾的清面汤水，油泞黑厚的窗台尘埃，映着奶奶那张已分不出怅然所失或欢喜满心的脸，内心有了重重的失落。就像小时候，在夕阳遍野的下午，第一次考虑到死亡时的惘然。

再翻出九个月前的相片，说不出是庆幸还是难过。但总归是有了一个回忆的由头，有一处私人的纪念得以保留。

奶奶已经很难认出我了。这是事实。

外公离开的时候，我在几千里之外的北京。一个人独处时嚎啕大哭。

对于离开，我仍不似大人般可以对自己宽慰。

对于奶奶生命逐渐的缓慢，突然在飞机落地那一刻在《素年锦时》这本书里找到了打破胸腔、长久以来内心呼喊出的回应。

生命的意义不在于人健壮时有多么辉煌，而是在它逐渐凋落时，有明白她的人在一旁静静地陪她待着，不言，不语，屏息中交换生命的本真。任凭四周的嘈杂与纠纷。

陪着她一直下去。静静地。

我又回到了奶奶的院子。我躲在橘子树和无花果树底下听歌。阳光当头，家里人在户外有的酿豆腐，有的摘鸭毛。奶奶拿着扫帚来回清理垃圾。有种日光照得出似曾相识的感受，生命在温煦下一直蓬勃，好多年前我也这么坐着，场景未变，唯一不同的是，爷爷不见了，奶奶也不记得我是谁了。好多事，当初抗拒，现在也能坦然了。奶奶已经不能给我下一碗面了。5年前记这篇日志的时候，似乎我已经预感到了这一天，我庆幸那一天，我给奶奶拍了那张照片。

临走时，我掐了掐她的脸。她笑了。她对这个动作印象深刻，全家只有我会对她做出这种忤逆的举动。回家路上，我闭上眼睛，全是50岁的她用被子把我身体裹得严实往床上扔的场景，扔了一次又一次，全因为我喜欢。虽然这是我幼年时毫无来由的爱好，但奶奶却从不试图纠正我的莫名。在她看来，只要我喜欢的，就都是好的。

2012年10月7日

流泪也要有资格

不是每个搞笑的人都很开心的。

尤其是每天都搞笑的人，每天被要求说同样段子的人，被要求表演同样节目的人。

如同我新认识的豆哥。

开了红色的宝马跑车从5年前跑到现在，那个价钱5年前如果买了房现在已经涨了不知多少了。而热衷于表面功夫的豆哥买了一辆宝马，于是价格就一直跌一直跌，唯一值钱的估计就只有宝马两个字了吧。这应该不算难过的事，因为他很得意地说：几年前，我开了保时捷下车，被人打劫，一个LV的包里装了十几万的现金，还有手机等等，我刚下车就被人弄晕了，后来我就收敛多了……

这个收敛多了的前辈表现出来的依然是打了鸡血的样子。回想我们初次见面，为了不让气氛冷下去，我们不停给自己加兴奋剂，说话的声音一个比一个大，说的事情一个比一个有包袱，周围的人全笑得趴下了，只有我和他青筋爆出还在互相夸对方资质好、有意思。回去累得澡都没洗倒在床上就睡着了，我毕竟是年轻人，估计他在路边停完车就在车里睡着了吧。

约豆哥吃饭，阿昌哥之前把他吹上了天，一时还没落座就被要求说起段子来。

“我以前穿了双很好的鞋，后来就被警察关起来了。那双鞋是我拣的，你知道为什么我被关起来吗？”

我们都说不知道。

“因为这双鞋是我在别人阳台上拣到的。”

“后来我被放出来，我就去水库炸鱼，又被警察抓了判了十年刑。我只炸死了三条鱼啊。你知道为什么我被判刑了吗？”

我们还是不知道。

“因为三条鱼死了之后，又有十个潜水员浮了上来……”

“进了监狱之后，很多人看我不惯，三十多个人一起揍我，三十号人打了我半个多小时，我还没有倒下去。你知道为什么吗？”

这下我知道了：“因为你练过吧。”

“错了，因为他们把我吊起来打的……”

我笑得很猛，也知道这个笑话他讲了应该不下一千遍了吧。

豆哥埋着头吃泡椒鱼头里面的清水面。作为湖南人的他这道菜吃过也应该不下一百遍了吧。吃到一半，他抬起头来说:“非常好吃！”就像第一次吃一样。

看《真情指数》时，吴宗宪与蔡康永聊着聊着，开始满是泪光。看《背后的故事》，包小松包小柏也是嚎啕大哭。他们的说法都有唯一性——都是第一次在观众面前哭。

靠幽默与搞笑出道的人，不到功成名就的那一天也许永远都没有流泪的资格，只能重复着自己的过去，打着鸡血活出人的一生。

其实我也是这类型的人，只是做这样的人也需要台阶和资格。

豆哥后来不知道去哪了，每半年给我打一个电话，不知所云。每次电话都热情饱满，完全忘记我们半年前那个电话是无疾而终。其实我是

有时候，你没那么重要，轻一点，或许活得更好。

我希望我能一直这样，像只蜷缩在角落里等待被发现的贱狗，好好地喝上一杯。

没有生小孩的日子里，我养了一条狗，它很像我。

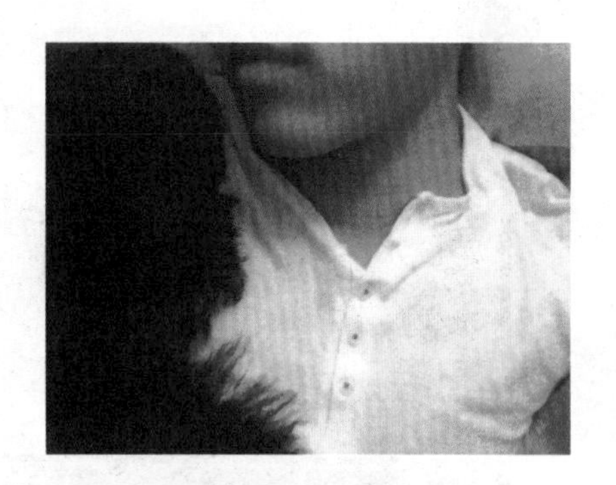

我们留住一些什么，只是想证明从前。

失恋不会死，一年，是期限。

人生无处不是转弯的地方。
但好在，我们还能继续走。

凌晨最后落力的拥抱，嘴唇里隔夜酒龃龉的味道。

个令人讨厌的人，对面这个人一直热切，我就觉得对方太使劲。如果对方稍显冷漠，我就觉得对方过于矫情。我总觉得每个人的表现都是有剧本的，作为自己的导演，他们能控制自己的一言一行，以及所表现的人物性格。

这种令人讨厌的性格也不过是两年前开始好转，那时我才发现并不是每一个人都会对自己的任何言行负责——这并不是贬义，而是很多很多人活着并不如我，以及“我以为”的那样累。他们所有的举止都是发自当下最真切的意志，无需控制，也无需反省。

有同学曾经在宣讲会上问我，请问你是一个感性的人还是一个理性的人。我的回答是：我是一个理性地知道自己什么时候该感性，而在感性的时候理性地知道自己的底线在哪。我连着好几个月为这个解释暗喜，不过也是刚刚才发现，我活得似乎也挺使劲和矫情的。

我妈说：没有人会一直正确，他们只会越来越正确。

对于人生，亦是如此。

2012年10月8日

2008

2008 年，我 27 岁，那时的我认为：

很多类似当年的我企图活在未来，企图花更少的时间过上更优质的生活。只是他们突然明白了：与其被人永远驯养，不如学着以后去驯养别人。

说到底，所有的理由还是不适合，本不是你生命的那个人，就不要因此而让自己困扰了。

人总在寻找着自己一生的定位。

难以释怀是最不想遇见的境遇。

“活在自己的年龄里”是件重要的事。

等待也是一种选择。

有钱没钱回家过年

“总理都去郴州了，所以我们当然可以回去的。”

谭小姐和我一样都是郴州人。因为大雪封山，郴州已成为孤城逾十天，停电停水的，所以我和她也常常在回得去回不去，要回去与不能回去之间使劲徘徊。

近日忙于春节要播出的节目，不停接到温暖的慰问，原来可以过年的地方还有很多……但是谭小姐就不开心了，她常常问自己和我的问题是：“为什么我们回不去呢？”

回答多了，后来我发现，没有答案的问题是个终极问题。有太多答案的问题同样是个终极问题。

比如谭小姐的问题：“为什么我们不能回去呢？”让我有生以来第一次用如此缜密的心思来回答她的问题。

一、我们的春节节目还没有赶完，所以我们不能这么快回去。

二、春运期间我们很难买到直接回郴州的火车票。

三、如果我们飞到长沙的话，第一我们不一定买得到机票，隔壁贺老师提前一个星期订票也只有除夕的了，那我们到了长沙还要转车到郴州，所以我们坐飞机不合适。

四、湖南下大雪，机场有可能到时候又关闭。

五、湖南各个城市之间的高速路还没有开放，到了长沙也回不去郴州。（随口又编了一个可怕的故事：我有同学在长沙堵了两个星期了，要回郴州一直回不去，就是因为不通高速啊。)

六、到长沙也买不到火车票回郴州，因为那段火车也还没有开放，不然我们就有可能直接从北京买火车票到郴州了。

(谭小姐及时问道：那我们先去广州然后从广州回郴州呢？)

七、我们别去广州,广州好几十万的人都等着咱们呐。看到咱们铁定很欢呼。

(谭小姐嘟囔：我们又不是总理，有啥好欢呼的。)

八、哪怕以上的条件全部成立，我们不回去的原因还有一个是，家里没电没水没积粮，回去只能添麻烦，多一个人就多浪费一点资源。

九、就算以上的问题都解决了，我们也不能保证初六就能从孤城里逃出来，不太可能买得到回北京的车票。进了一个大瓮……

写完之后一看，很凄凉的样子。

不过我妈一直很兴奋地招呼我回去。

我爸丢话说：只要你到湖南了，不管在哪，我都会把你接回来。

看在他们用如此积极的心态想把我骗回去的分上，我决定一定要回去。要闯过九道大关，将我和谭小姐 2008 年的第一大坎坷踏平。

加油!

为了保险，那年我拜托了五个朋友帮我买火车票，在最后一天的时候，五个朋友纷纷用承诺换来了卧铺票。本来一张票都买不到的我，突然就变成了票贩子。但因此我也欣喜了一阵，本来拜托五个朋友就是怕有朋友是忽悠，最后的结论是，我才是一个大忽悠。

回到郴州，站在我爸的办公室，本来满目的树林全被大雪压垮。家中没电，全家人围着蜡烛吃着年夜饭，过了一个难忘的年。

也不知道什么原因，每年我都要回去两到三次，反而对旅游没有什么热衷。回去也不过是去重复以前的生活，但就是觉得安心踏实。

如果有机会，我们一起回去。

2012 年 10 月 8 日

他终于想起了他的初恋

我认识他的时候，想必他都还未长大。一双清澈到底的眼睛，注定了他长到25岁还是喝不了一杯梅子清酒便醉。

那时也未想过他会坚持着喝这种颜色的酒，会在所有人正在兴头上猜忌他的喜好时,便在做直播节目时不顾一切地说出去:为什么我会忘记了我的初恋呢。

他和我一样，和很多很多人一样。不同的人忘记的是初恋的时间，初恋的对象，初恋的地点，初恋的性别。同样的是他们都忘记了自己的初恋。

人的记忆总会强迫自己忘记很多对身心不利的事情，生理无意识的保护机能比大脑清醒得多。

在笑吟吟地经历了半个冬季的明媚阳光后，他从大洋彼岸回来，花三个小时修整了作息之后，便约我到了工体，然后在半侧阴影半侧光的角落里神情严肃地告诉我：我终于想起了我的初恋。

“我终于想起了我的初恋。这次回去，我的卧室从三楼搬到二楼，翻出了一大堆信笺，里面尽是我与初恋之间的对话，以及很多很多我写给初恋的单恋情绪，上面泪迹斑斑，我似乎记起初恋的那一年，好像还是大一。我从这地追到那地，这城追到那城，撑着身体陪着打了通宵的麻将，输了好几百块，听着莫文蔚的《是这样吗》，连高速路的售票员都不忍心，给我递面巾纸。

“再后来，我们在网上争吵，诋毁，撕破脸面，中途和初恋的好友搭上了感情，交流了几次肉体，留下了少年的余味与幸灾乐祸的复仇。然后是没日没夜的酗酒，不分昼夜的睡觉，一年之间体重从110斤长到了140斤，个子也莫名其妙从

1米74长到了1米78，又经过了半年的游泳，体重回到120斤，其后又有经历又有爱恨，最终交叠在一起，忘了谁是谁的第一次。

“……看到一句话后，突然流泪。”

他从随身的包里掏出一张大学里流行过的劣质信纸，有重重折痕，他居然那么认真地念出来：“他打那个呵欠就像一朵巨大的蓝色花朵，沉醉着就把人缠住。体温37C°，拥抱在一起也不过37C°，他于是止不住想，这就是我的爱么……”

他不再朗读，沉默了很久突然说：这是我的初恋，记忆完全被纸代替。

酒吧突然换到熟悉声线：我明白，太放不开你的爱，太熟悉你的关怀，想你算是安慰还是悲哀。

他继续说：我终于见到了他，脖子上有金色的项链，和四十几岁的老女人搂在一起，笑容还是那样，我们擦肩而过的时候，他看我样子很迷茫，而我很淡然。

他和他的故事，总比他和她的故事来得凛冽。我一直把S当成幼年的自己，豁得出去也挣得回来，带出去参加聚会，男男女女都喜欢他。他回国之后，待了不到3年，又出去了。他说他无法忍受中国男女如此肤浅又快速的暧昧，一个眼神还没弄清楚是喜欢还是厌恶，一双胳膊就圈了上来。他们也可以随意指着一张照片说我爱这个人，也会不洗澡便上床亲热，只因他们觉得开放就要尽情尽兴。在他看来，他所遇见的他们活着不是为了自己，全是为了特立独行。他给我发的邮件里，附了一张他的照片，头发已经留得很长，五官也愈发好看。抱了一条长得和同喜很像的一只泰迪，一个人，住在公寓里。白天骑单车上班，晚上去学习百老汇歌剧。同时和两个人交往，内心平静而坦荡。

2012年7月31日

关于人生很多疑惑的词（一）

赎罪

第一次听说《赎罪》是因为王翰涛的关系。

有两句话在我判断中是并列的。一为“当一个人敢用人格为另外一个人担保，这两个人都是可以完全信任的。”二为“当一个人很真诚地为其他人推荐某件东西时，那么被推荐的东西一定值得花时间的，哪怕也许最后你说了一句‘有点无聊’。”

《赎罪》并不会让你说“有点无聊”。

二战的硝烟，年幼的过失，一生的追逐与等待，永不可能再实现的愿望。

类问我最大的感受是什么？

“应该是每个人都要看得起自己，不要以为自己无足轻重而放任自己做一些事说一些话，其实你所做的任何事情都可能对你周围的人造成一生不可弥补的破坏。你呢？”

“当他得了败血症即将离开的时候他想：如果能够再回到法国，他一定要穿上最漂亮最干净的礼服和她一起在市内的公园里散步。我突然很想找个人穿上自己最好的衣服去坐城市里最高大的那个摩天轮。”类说。

人生

我的人生有点荒诞。

胡亚捷说王志文当年在学校里最喜欢玩闹，最喜欢逃课，是全班最淘的小孩。那时的王志文以为那样的他才是最舒服的他。后来毕业之后，走上社会之后，他也渐渐放缓了下来，不苟言笑，精于事物，那样的他或许比学校里的他更为舒服。

人总在寻找着自己一生的定位。

初中时，我在所有人眼里都是可以被忽略的那个，任何没有人愿意做的事情，他们总会让我去做，你把我比喻成最没地位那个也行，那时不流行“贱”这个词，如果有的话，我想我那时的位置甚至连用“贱”形容的资格也没有。

高中时，他们开始叫我“小表弟”。他们以及我自己给自己的定位是“小表弟”。说任何话都可以不负责任，肆无忌惮地挥霍，仗着父母的关系，在同学与老师眼里游刃有余。

后来，到了大学，我想我是不是该大度起来。于是我又变成了另外一个我，蒋友柏说人的一生有两个自我，一个策马奔腾的我，一个坐于车内不敢探头观望风景的我，两个人只有夜间才能交流。而人生最健康的状态则是第一个自我适当地允许第二个我与外界交流。

而我常常在几个自我之间变换着角度，哪个最舒服有时连自己也分不清楚。

可无一例外的是，无论是哪个我，都很容易被感动。

一句简单的“生日快乐”。

一个聚会后简单的“我到家了，你也晚安”。

一个风凉的天气你把你更大的外套与我交换。

一个因为我失败你为我发出的单调哀叹的音节。

一个喝酒之后对我的小叮嘱。

一个送我去车站的五分钟。

一个向我约稿并刊登的编辑。

一个简单到看不出所以然的生日礼物。

一篇有提到一次我名字的日志。

更不用提你为我做的任何一件小事。

直到今日,我也还是常常问自己,哪种自己才是真实的？工作的？单独的？集体的？夸张的？低调的？大笑的？张扬的？搞笑的？严肃的？愤怒的？积极的？反抗的？

谁都无需给自己一个定位，包括自己。我还记得“耗子”在高二的时候问我（或许很多人都曾经问过我，只是那一次让我真正有意识地认真地想这个问题罢了），他问：你为什么永远都是这样？

我也问自己：我现在是哪样？我以后还会不会这样？

几年过去了，我还记得当时我发愣的表情，那时的脑子里根本就不可能想到今天的我会有这般的觉悟。那时的我继续做着那时的我，那时的我也渐渐就变成了自以为有了安全感的今日的我。

其实那时的我根本就是没有错的。我也庆幸那时的我有多么的二，多么的幼稚,多么的无厘头,多么的多么的多么,不然哪有现在仍然 ×××× （贬义词）的我，对一切都觉得“天哪，怎么这么好！”的我。

爱情

爱情就是妈妈带小孩，哄一下就乖了。关键在于谁当妈妈谁当小孩，但如果有人企图做爸爸，这关系迟早得崩。

结婚

越来越多的朋友都说不结婚了。我想我还是要结的吧。

因为我很喜欢小孩的。

我很想生几个和我类似的小孩，然后就可以和他们一起玩儿了。

关于人生很多疑惑的词（二）

信笺

Email里堆积着一些未读的信。

收到一封来自湖南的手写信，夹在开会时用的笔记本里。

时常会忘记。

和智勇在聊天时，看他日益忧虑的神色，想起高三时的自己。

那时的自己花了一整天的时间，将所有的困惑编号写在了白纸上，一个一个编号，一个一个写上逻辑关系。

终于发现原来所有的焦躁情绪都是因为某一两个原因而引发的，只是因为重叠的原因，已经分不清楚谁先谁后，谁缓谁急，谁轻谁重。

像所有的信。

轻重

我和弟弟妹妹常常会聊到自己的现状。

对一切都抱以感激，于是就会对一切满意。

这些东西本该就不是你的，把自己看得轻而又轻，像张爱玲对胡兰成。

有时候命不该在一起。

当院长的他对我说：之所以护士的录取名额是她，那是因为她把自己看得很轻。天使之所以会飞，是因为她把自己看得很轻。

有时候，你没那么重要，轻一点，或许活得更好。

在感情里，更是如此。

感情

你转身，我下楼。

因为我们不是与生俱来的亲人，所以感情常常是这样。

我回头，你行走，我义无反顾离开，你再回头。

我们都有留恋，只是留恋都错开了时间。

你和我都不知道而已。

除非决定要做亲人，才能够长久地在一起。

不然爱情总会像花朵。

花期过了就死，决绝干脆，其实也挺好。

花朵

对鲜花一直都没有什么抵抗力的我，以前是这样，以后也是这样。

当年身上有5块钱，宁愿不吃饭也要买雏菊放在宿舍里。

矫情是矫情了点，但架不住天长地久的矫情。

天长地久这个词真好。

形容词的最高级。

提到了类。他是我大学时最好的兄弟。外语学院毕业。考了三年，终于考上了北京大学的研究生，在时尚集团做市场。后来转弯投身话剧界。后来失去了联系。

小涛哥微笑着坐在一边，从认识他第一年就是这样的感觉，以后应该不怎么会变。

智勇终于把留了多年的长发剪了,就像快刀斩乱麻地对待人生。很清爽。

现在看很多东西，已经不会像之前那样非得怔怔地看上一会儿，然后必须给它们一个注释才行。这样才能在下次遇见的时候，立刻知道它们对于自己的意义。

没有生小孩的日子里，我养了一条狗，它很像我。

2012年10月7日

有种感觉叫难以释怀

被任何掠过都比被回忆掠过释怀。

难以释怀是最不想遇见的境遇，三杯两盏，四季清秋，也敌不过莫名的愁上忧。

陆续认识并了解一些新的朋友，逐渐离开与淡忘一些老的朋友。其中，有的朋友见了一眼便有喜悦，有的朋友即使有喜悦也不过是半晌的独自欢娱。

遇见，然后离开。多年后，再遇见，突然有种感觉叫难以释怀。

我常常做着难以释怀的举动，平稳举着一杯焦糖马奇朵穿越人群，焦黄色的糖浆井字形铺在浓浓的泡沫上，纵横交错。

最近玩的游戏“雷顿教授”里有这样的谜题，几个十字路口中ABCD四个点，如何在不交错的情况下互相联系。

试过，修改，涂抹，擦去，落笔，心算，纠正，再试。

后来发现，当井字越多时，选择的余地也就越大。

于是，人们为了解救自己，画出越来越多的情感井字，他们以为只有这样才能有更多解答谜题的方式。

原本只是个单纯的人，心伤一次只有一个十字，再多一次，就形成一个井字。

天色越来越灰，心情也受到影响。

当被越来越多的井字压抑时，人最终也会成为井底之蛙的吧，我的意思是终身不见天日。

活在自己的年龄里

狐狸对小王子说：你，驯养我吧。

于是这个世界上出现了很多很多的驯养，很多很多的被驯养，以及很多很多等待着的被驯养者和很少很少的驯养者。

看那么多的年轻人有极好的胃口和极好的青春，他们目光游离，伴有阵阵忧虑，聊起任何话题你都看得到他那颗等待着被驯养的心。

他忘记了20岁的自己正是发芽壮大的时期，忘记了自己的不羁才是受瞩目的资本。他们抱有重重心事，等待着善良纯美仅仅拥有三座膝盖高的火山和一支玫瑰，但被称为“王子”的小王子。这些都是背后的真理，年轻人不会明白，他们只理解什么叫驯养。

秋微姐曾经在节目里大言不惭地说：为什么我常常会在众多美女中脱颖而出，我问某个成功的男性朋友，他很认真地想了想对我说：“因为你一直活在你的年龄里。”

“活在自己的年龄里”是件多么重要的事。

很多类似当年的我企图活在未来，企图花更少的时间过上更优质的生活。只是他们突然明白了：与其被人永远驯养，不如学着以后去驯养别人。

于是过了些年，我们看到了更多优秀成功气质优雅带有一丝善良且小邪恶的他们。

蔡康永的理解是：千万别在有胃口时养成了张口被动接受的习惯，最后当你发现这些并不是你喜欢的食物时，已经破坏了自己的好胃口。

那些希望每天挎着 LV，穿着 PRADA，围着 PAUL SMITH 的小朋友们彻底丧失在他们自以为的年轻岁月里，当越来越老的时候，他们依然带着这些漂亮的英文字母生老病死。

某个王子说:一条牛仔裤加一件白衬衣,是我印象中最吸引人的狐狸的样子。

鉴于我周围越来越多的小朋友事业未成便已走神，遂有了此感触。

每个周五结伴拿 WOW 卡刷半价电影票的小朋友们，每个周末约好去 798 拍照的小朋友们，没钱也喜欢去商业街瞎逛的小朋友们，打不了高尔夫但可以在“帝国时代”里一决高低的小朋友们，做 PPT 可以做到天亮的小朋友们，经过客户公司送上去一杯咖啡的小朋友们，在 SOHO37 楼跳跃着许愿的小朋友们，虽然你们现在没有更好的生活，没有更安逸的日子，但你们在过着你们的年龄，多爽。

我都忘记这是多少年前写的文字,如果让我和那时的自己见面的话,我一定会拍着他的肩膀说：说得真好。当年的我就是最后一段形容的生活，什么都没有，却有着年轻时最好的胃口，吃着年轻时最即时的食物，活在自己的年纪里，一秒都没有浪费，真爽。

2012 年 3 月 20 日

爱情存在的五种形式

在香港很长的一段时间，J一天的空闲只够吃一顿饭。

衬衣还没有按公式一一熨开，搭档便在花园外催促着按喇叭。

还好，随便挂条领带，以及J常爱买的品牌，总是会吸引到别人。不然以前也不会有女生因为看J做化学实验走神而导致爆炸。

和我对话的时候，J总是讪讪地笑，让我莫名地联想起黑夜当中迎风开放的樱花，那些柔和的艳羡不是白天能够观察到的。

最近和他聊天之后，我发现J喝水的最后，嘴唇总会轻轻地咂咂杯口，留下若有若无的唇痕印记。

做事情总是有始有终，打上一个自己知道的记号，就像当年J送给你的礼物上全都有他自己亲手系上的蝴蝶结。

银灰色休闲西装，挎了“味道极重”的黑色皮包，右手拿着你最喜欢喝的柠檬饮料。

然后一直在地铁口等你，哪管多少人向他投去友好的目光，一概忽略。面对炽热的太阳，连大海都无能为力，而过去的那些年，他这轮太阳全因你而燃。

只有看到你之后，才会将自己的心情刹那间的绽放，胜过百年烟火。

J如是说。

和你遇见是几年前公寓下的电话超市里。

至于是多久，他记不准。8 年或者 9 年，对 J 而言都是“很久很久以前的事情了”。但是他说:每个细节他都记得，只是忘记了时间，生活是细节组成的，而不是时间。

当时的你尚不知道如何使用电话卡，于是局促地站在门口，拿不准是进或是退。

有时候进一步是天堂，退一步是地狱。

只是有时候，等待也是一种选择。

于是他算是领养了你，看到你的模样，现在的 J 说起来还觉得好笑得很。

干净的发梢，右耳廓上有粒小小的黑痣。牙齿轻轻地咬住嘴唇，削瘦的身体里进行了巨大程序的运算。

“同学，需要帮助么？”那时的他还踩着赛车，潇洒地落到了你的身边。

两个人对视那一刻，J 那轮沉静多年的太阳开始为你而燃烧，只是而后的几年甚至至今，我们听到的种种传闻里，他也烧伤了许多的人。可仍然那么多人向往，朝他进军。

天使的翅膀也抵不住热力，再往他的内心进一步，羽毛一一成为灰烬。传说中，他也只为你一人降低过热度，37 摄氏度足以温暖你便好。

你对此从来只是说太阳就是太阳，只会让接近他的人受伤。

我们提到你时，J 问我：你说，太阳也会烫伤自己吗？

J 学的是医学，医生也会生病吗？这两个问题实质是一样的。

你看了他一眼，仓惶而逃，坚定地说了句谢谢，然后鼓起勇气走了进去。留下自嘲的 J。

他都记得。

他还记得第二次遇见你,你和你的同学们在一起。手里拿着刚买的柠檬汁,用手怎么都拧不开,女同学便有人开着玩笑,让你找个老公算了。

J又像神明般落在了你的身旁,他问:“要不要帮忙?”

那可是J,周围人正在猜测你和J的关系,又是何时认识的。

你还是用牙齿咬咬嘴唇,然后用手裹着T恤去拧瓶盖。脸色通红,迅速成功。然后扬起脸庞,露出微笑。

有抽象花纹的棉布T恤上,就这么硬生生地开了一朵皱褶的花朵。倔强,自我,宁愿自己受些小委屈,也不要麻烦别人。

你在房间里总是听周蕙的歌。

想念变成了一种体温,燃烧在凌晨三点零五分……

等着红灯的时候,等雨停的咖啡店……

别假装我对你有多重要,我有多痛你知道……

在每次时空交错的瞬间,我相信自己看见了永远……

J搂你在怀里,你瑟瑟地颤抖,你很久不曾有这样的温暖和怀抱。

你和母亲从小被父亲抛弃,最惨的时候两个人身上只有一块钱,连方便面也买不了。

猪油米饭与白糖米饭是你的家常便饭。

母亲改嫁那天,你强颜欢笑当个花童。母亲流泪,你亦是。

她想你们终于有了幸福。你却想她终于有了归宿,而你的未来呢?

每次喝了酒,你便会发疯似的咬着J的肩膀,一块又一块。J即使痛得流出泪,也会更用力地将你拥进怀抱里。

把我当作你自己吧。从今天开始。他一遍又一遍地安抚。

他买了适合你的衬衣，适合你的仔裤，买了让你看起来有归属感的戒指，买了一小套公寓，让你毕业之后有个落脚的地方。

爱情存在的形式有哪几种？

1. 在一起很快乐。

2. 在一起不快乐。

3. 不在一起很快乐。

4. 不在一起不快乐。

5. 以上皆是。

单选还是复选还是选无可选？

某个清晨，你不辞而别，留下所有 J 给你的东西。

你说你还是喜欢一个人听音乐，用 T 恤开瓶盖，戴着隐形眼镜眨眼睛，感情都隐藏在镜片之后，谁都感觉不到它。孤单行走，恣意行走，没有人会突然潇洒地落在身边，天昏地暗甚至沉沦也不过是一个人的事情。

你说你生下来便是一个孽缘。父亲因此与母亲离异，母亲因此受了多年的委屈，J 因此从光彩鲜艳的人变成居家的男人，母亲的新丈夫因此要承担额外的学费，新丈夫的子女因此少了他们理应拥有更多的东西。

你把一切的灰色都加在了自己的身上，你说如果你不存在于这个世界上，也许不会给人带来那么多的麻烦。

雨天，你不撑伞出去走路，J 阻止你，你说你早已习惯。不是习惯被雨淋，而是习惯了家里没有伞。

你在香皂盒里垫上海绵，你说海绵会吸水，香皂便不会变软了。每次扫除，你便把香皂盒里的海绵拿出来擦地板，让J痴痴且满足地看你的举动。

你喝没有冻过的可乐一样美味，你喝没有兑过的伏特加一样自然，你坐在租的民房里吃甜甜的西瓜，穿着帆布鞋面试，偶尔也谈一次两次恋爱，那是你证明你还存在的方式。

“但我不需要证明我存在的价值。”

8年或者9年的时间迅速地过去。J后来去了香港，你的消息我们没有人知道。

如你所愿，J又变成了那个光彩照人的阿波罗。事业在香港发展得不错，也有了自己可以定期更换的恋人，有时间我们会通电话，我想唯一不变的是他肩膀上那几个常常被陌生人询问的咬痕。

你也在北京么？昨天J和我见面了。

他说他见到你了，他在朋友的车上，看到你像多年前那样的表情从地铁站出来。

我说你依然在长沙，不会来北京的。

他说你从地铁口出来，穿着胸前有一轮太阳的T恤，手里拿着一瓶柠檬饮料，你的T恤的下部依然有拧瓶盖的皱褶，已经在我脑海里固定成形……

“在每次时空交错的瞬间，我相信自己看见了永远。我已开始有一点了解，所谓瞬间永远，以为幸福是终点，必须追逐的永远，才让我们都忽略。”J换成了周蕙的歌曲，然后看逐渐入夜的城市，巨大且空虚，贪念且情绪。

“朋友常常会和我说起他们的故事，奇怪的事，他们的幸福从来不和我分享，反而所有的遗憾都想让我帮他们记录下来。真是贱啊。

几年之前，我一直以为，只要两个人相爱，就没有不在一起的理由。配不上你，连累你，耽误你，你可以找到一个更好的……之类的措辞都是借口。在这个世界上，还有什么比你爱一个人，这个人也爱你，于是你们彼此心知肚明更美好。即使两个人不在一起了，你们的心也应该是在一起的。但事实往往相反，在一起的两个人不那么爱对方，爱对方的两个人因为不能待在一起，连心也给砍断了。

那时只觉得自己不会谈恋爱，那么简单的问题为什么都解决不了。等到时间过了几年之后，你经历过几次失败之后，你才发现，原来不是你不会谈恋爱，而是大多数人不会谈恋爱。你什么都懂，对方不懂，但谈恋爱是两个人的事情，所以归根结底还是你自己的责任。

千万不要因为自己的高标准而对对方产生愧疚，如果对方真的要成为你生命中某个部分的话，他也一定会努力达到你的标准的。

说到底，所有的理由还是不适合，本不是你生命的那个人，就不要因此而让自己困扰了。

J 现在很好，去年结婚，有过一段婚外情，今年老婆生了双胞胎，开始收心。然后感叹，世间怎有如他老婆这样的女人，简直就是为他量身定做的。你看吧，所有同甘的人都被认为理所当然，偶尔共苦就被认为是命中注定，越是聪明的男人越这样认为。

2012 年 10 月 8 日

家里的马桶坐着安心

“你撑着伞站在公寓底下，雨不停地下，没有即刻停止的迹象。我想起当初我们雨中的相遇，我抱了一堆可乐从711便利店跑向公寓，你伸出了右手递了把伞在我的头上，一句话不说。我躲了两秒，依然从你的伞下冲了出去，很爽的感觉。除了本性如此，最重要的原因是我偷瞄你很久了，住在同一栋楼5层的单身少女，你伸出手，我就知道我们一定会在一起的。”

按安妮的话来说，那天相遇下雨的世界可算得上是一片静好，可接下来的文字却有不尽的悲怆凄凉。

“我知道自己总是会有这样那样的错误，比如我喜欢在嘴上和朋友说哪个女孩的体型，说哪个酒吧又来了新的领班新的领舞，我也会凑热闹跟着同事去隔壁大厦看前台的服务员，但你要相信我真的爱你。可是这些习惯，我一次又一次地犯着，我只能一次又一次请求你的原谅。”

他们都属于前卫型的恋人，他们的理念是宁可辜负一千，不可放过原配。解释一下就是，不管你怎样和人交往，但是你要记住，不要移情别恋，不要将第三者带入我们的生活，不要影响到我和你的感情，我们最终是要白头偕老的，几十年中人难免犯错，现阶段我们都年轻不如睁一只眼闭一只眼。

于是他们的感情成为了好友之间的标杆。我才看到他与新朋友在角落亲吻，转眼便看到他与正牌亲热出现在我们的亲友聚会上。我也看到他的原配单独坐在酒吧和新人聊得眉来眼去，看见我也会跟对方肆无忌惮地介绍：这是我老公的朋友。

看久了就知道，就好像我们蹲马桶一样。偶尔会留恋五星酒店的马桶那么的华丽，也会因为无法控制的生理原因而随便找了个马桶解决需要，但是最终我们习惯的还是家里的那个马桶。坐下来就很安心,看起书报来也格外有劲……

2009

2009 年，我 28 岁，那时的我认为 ：

能从一个眼神中读出你的歉意才是你的真命天子，能从一个拥抱中感受你的不舍才是你的知己。虽然我们都不是偶像剧演员，但是爱你的人，是会代替镜头捕捉你所有的一举一动一娇一情的。而那些需要你浪费时间去向 TA 解释一切的人，必定是上帝派过来收你的人，撤吧。

谁认真谁就输了。

解释没有意义。

这个年头，重要的不是纵横捭阖的能力，不是倾国倾城的长相，不是三宫六院的胸怀，也不是株连九族的家世，而是态度。态度，你有么？

骂人真是让自己心情变好的一剂良药。

谁认真谁就输了

“我爱你现在的年轻漂亮，我爱你以后的历经沧桑。”

从未有看书习惯的你，突然扭过头对我说。

那时灯光辉煌，人声嚣张，身影丛丛叠加，有被晴天霹雳了一下的感觉。

呵呵，呵呵。

我们四目相望，再无其他。

你继续前行，手里把玩着车钥匙，那得意扬扬的模样似曾相识。

很久以前，认识的一位大朋友说起他和她的相识用了“白首如新，倾盖如故”这句话。因为情感难寻，所以才死命地将这句话记在心中，他曾经教育我的那么多道理我都忘记了，只剩下了这一句，他唯一发自内心的感慨。

当时的我或许在想，他和她是倾盖如故了，我又如何能够让他不再把我当一个小孩呢？

后来我们又再遇见，他已经成家了，他问起这几年我的近况，我劈头盖脸说起了那些我以为他会对我刮目相看的经历，他只微微点了点头，丝毫没有和我探讨下去的意思。

那一刻我有被打败的感觉。

所以我也会发短信给小胖子同学说：我每次发短信只发几个字给你，你就劈里啪啦回复一堆，貌似你占了上风，但其实你一开始就输了。

这些道理谁都懂，谁又能做到呢？

从遇见第一面开始，就注定了两个人不能计较得失才能平衡。一旦一方留有心思，那所谓的倾盖如故也就不复存在了。

两个人的相遇纯粹是出于机遇，说是一种机会也未尝不可。

可人一旦看重机会了，就难免被机会所支配。

所以我们渐渐连话也少说了，甚至不说也行。

周国平老师有句话能表达我们当下的心思：相思是篇冗长的腹稿，可发表出来却往往很短。

一不抱怨二不解释

事件扎堆，荆草丛生的时候，我都是一个人默默地在一线天之下走着。光线昏暗，滴水沁入颈部，下蹲或侧身，再小心翼翼地匆匆而行也会沾些许泥浆在身上，不过我丝毫不在乎。能够潜水过五十米，谁在乎你水底的姿势是不是足够好看？

其实我是很怕亲近的人问我一系列的问题，你是不是这样想？你是不是那样想？你是不是不这么想？难道你那样想？

近期的文字狱女王尹珊珊说：

自卑的女人会在ML的时候问对方：你真的爱我吗？

愚蠢的女人会在吵架厉害的时候问对方：你不爱我了吗？

可怜的女人会在冷战的时候问对方：你理我一会儿好不好？

想来，包括我自己，无论男女都会在心智未成熟的时候犯一些诸如此类的错误。所以遇见这样的情况，我通常都是沉默，再沉默，我是憋不死自己的，但是通常是对方把自己憋死了。然后在另外的地方重生，传着流言蜚语，而这一切都已经和你没有什么关系了。

以前总有人强迫性地问我，为什么每次你有事的时候总是不愿意说出来，一个人也不解释也不说明。其实对于这样的问题，我也懒得解释。一个了解你的人人根本不会问这样的问题，而你也不会给真正了解你的人问这个问题的机会。

我是向来不喜欢解释的。可能也是因为很早就工作了，而接触的历任老板都在我嘴唇微启时便一顿劈头盖脸地大骂：别给我找借口。

后来我就养成了习惯，嘴唇动动，啥也不说。后来干脆连嘴唇也懒得动，又不是演悲情偶像剧，我想镜头也捕捉不到这般矫情的微小搐动。

解释有何意义？

吵架时问“你不再爱我了吗？”难道我怒发冲冠狠狠地告诉你：“我爱你！”那么你必定会问：“如果你爱我，你为什么要这么生气？”“我之所以生气是因为我们在吵架！！！”“可是如果你爱我，你就不会和我吵架的！！！”

你问这种愚蠢的问题，自己就会推断出这种“爱我就不能和我吵架”的愚蠢结论。

爱你还会杀死你，只和你吵架够给你面子了。

爱情不是拍电影，浪费多少的胶片都无所谓。而电影中那般死去活来贴肉贴心的高潮恩爱是因为导演预算不够才勉强让你看到的一个幻像。《我爱你》那样的电影你多看几遍，你就会成长两岁。

一切美好的，底下都堆积着大量残骸。一切矮小的，踩着的都是巨人的肩膀。

如今我人模人样地坐在你的面前，任你嬉笑怒骂都保持着沉默的态度。起码这是一种态度，如果不是我的前几任对我百般摧残，想必我也不会有这种态度。

这个年头，重要的不是纵横捭阖的能力，不是倾国倾城的长相，不是三宫六院的胸怀，也不是株连九族的家世，而是态度。态度，你有么？

你有的是激动，你有的是崩溃，你有的是谦卑，你有的是沉沦，你有的是退缩，你有的是热爱，你有的是憎恨，这些你都有的是。你唯独没有安静的三秒钟，那安静的三秒钟就是你的态度。

一个有态度的人是不会把别人的态度放在心里的。你会衡量，会掂量，但你不会让它占据你的内心。我的做法是想一想，中和中和，像奥巴马那样：我可以为我的言语感到抱歉，但你想要我道歉免谈。对方说什么你就是什么，请问究竟他是你，还是你是你？

有的人的人生就是在“解释，行动，解释行动，再解释，再行动，再解释行动，再解释解释行动……”中度过的。依我看，解释个屁，有种你们就闹掰吧，各有各的生活，如果谁都觉得无所谓了都有新生活了，那就证明你们本来就不应该在一起。如果一方不适应了，另一方无所谓，那就证明你们迟早得分开，一个巴掌拍不响。如果两个人都觉得别扭了，那就证明你们天生就必须在一起，解不解释，都没那么重要。

所以能从一个眼神中读出你的歉意才是你的真命天子，能从一个拥抱中感受你的不舍才是你的知己。虽然我们都不是偶像剧演员，但是爱你的人，是会代替镜头捕捉你所有的一举一动一矫一情的。而那些需要你浪费时间去向TA解释一切的人，必定是上帝派过来收你的人，撤吧。

好像从2009年这一年开始，多年前不停不停地记录和思考开始为自己的某些行为提供了准则。比如不解释原则，比如吵架原则，比如很多比如。从这一年开始，人生有了越来越多的坚定，这种并非空穴来风的坚定让我面对很多事情更有了底气。面对很多事情，我当下的态度便是我思考很多年的结果。

2012年9月26日

思考和分享是一种逐渐消失的美德

QQ上收到3条编辑约稿留言。一条是老编辑的约稿，写明了需求，写明了字数，也写了我的名字以及问候。

另外两条是陌生号码发来的。内容非常类似：我是《××》的编辑××，帮我们写个稿子吧。

每次看到这样的信息，我就很想知道他们究竟是怎么坐上编辑这个神圣的岗位的，既然会上网留言，为什么不会思考一些最基本的问题？

比如：如果您的杂志足够出名，我想您也用不着来约我的稿。如果不够出名，您还装出一副大家人手一册抢购您杂志的样子，那我就真没话说了。所以起码的，您得告诉我您的杂志是日刊周刊月刊双月刊还是季刊，别以为我特知识分子，没有我不知道的事情，其实我不知道的事情多了去了。

其实足够出名的人也会谦虚地介绍自己。比如张国立老师，若是打电话给陌生人，一定会说：您好，我是演员张国立，弓长张，国家的国，立正的立。别以为这个世界上人人都和你想的一样，上一次回家调查80后作家大家都认识谁，有几位除了我是他同学的原因而认识我之外，韩寒郭敬明一概不知道。

再比如：您得告诉我您的杂志是什么定位吧？我不擅长写鬼怪，不适合写武侠，没写过美食，更不懂得什么是知音体。所以您得仔仔细细地告诉我，您需要什么，您杂志的定位是什么，您看过我以前的东西吗？如果看过，能够告诉我哪一篇是您需要的风格，这样我就快速明白了。如果没有，那也请您告诉我您需要的内容和方向。

再次：如果可以的话，您也可以顺便告诉我您的杂志的稿费大致是多少，如果您可以开出一字一元的价格，您也就什么都不用说了。如果不是的话，我觉得您还是事先先提两句，虽然我不差这个钱，但是您总不能等我写了两千字后再告诉我，你们的稿费是千字一百元。除非您能够具有超凡的魅力，让我不要钱也愿意写，我心肠很软，也常干这样的活，但前提是请您先把我给征服了，怎么着都没问题。

类似的情况也常发生。常有一些同学投简历到我的邮箱想加入传媒业。态度诚恳，语气真挚，对他们的未来有帮助的信我一般都回了，但是还是有很多信我不知道是想挑逗我，还是大家想组团测试一下我的善良度。

比如有的信里写：我想从事传媒工作，告诉我怎么样才行？

拜托，我又不是阿拉丁神灯，你喊我一声，我就出来帮你了。传媒工作不是体力活，不是我告诉你把精子和卵子放在一起，再找个好子宫就可以造人了。传媒工作没那么简单，所以一般我回这类信，都只回三个字：要努力！

比如有人写：我特羡慕写小说的人，请问怎样才能出小说？

你还不如直接问我怎么发财好了。

比如有的信里写：我特想加入光线，请问光线有哪些部门，哪些部门需要人？

其实现实生活中，好像大多数人常常会问同样一个问题：哪些岗位需要人？就好像只要那个岗位需要人，他去，这个人就一定会是他。好像光线以及其他的公司都是种萝卜的农产品公司，都是一个萝卜一个坑的管理模式。

张爱玲最烦女演员和她见面说一句话："其实我也很喜欢写作，只是因为工作太忙了，就没有时间写了。"言下之意就是，如果工作不忙的话，她也一定会成为一个女作家。

一般这样的信我会回：网上去查。

还有的信里写：我想去光线面试，请问你们公司的地址在哪里，我要找谁面试，有什么条件和要求吗？

世界这么大，你可以找到我，难道你不能在网上找到公司的地址么？找不到公司的总机么？不知道总机拨 0 转的是人工么？不知道每个公司都有一个部门叫人力资源部是负责招聘的么？一般这样的信，我会回：请拨打 010-6××××× 转 0，然后转人力资源。把你想问的全部问了。

这比每天等我回信快多了。

当然还有很多同学的信我是非常喜欢读的，比如有的同学有事没事给我发封邮件，里面是 TA 最近看到的书摘和感受，这样一来，连我读这封信的时候，也觉得自己清新起来。

分享是一种正在消亡的美德。对于这样的留言和 E-mail，我是愿意花时间来讨论的。Boya 给我推荐了一部片子《He's Just Not That Into You》(《他其实没那么喜欢你》)，我周末抽空看了，又是在讨论爱情这个永远不变的话题，但每一段都十分精彩，值得近期拿出来再细细分享一下。

看来我写这篇日志的心情应该是积压了很久，要不然怎么写得那么畅快，现在读起来也很有想打人的欲望。最近出的两本书说是和职场相关，其实这个社会哪有什么情场职场人场，任何场合犯的错误其实就代表着这个人从小所受的教育，以及这个人的性格。他们所有在职场上犯的错误，在情场上也好不到哪去。所以因为《职来职往》的原因，我开始频繁地接触到职场问题，于是想发脾气的时间也就越来越多。

骂人真是让自己心情变好的一剂良药啊。

2012 年 8 月 29 日

火柴的奇妙力量

从某个阶段开始，家里的打火机立刻被换成了火柴。一是因为任何吸烟的朋友来家里之后都会拿着我的打火机说：耶，好有趣的样子。然后顺利地顺走了，拍拍我的肩膀，留下我一肚子怨气。于是我又踏上购买新奇特打火机的旅程，永不停止。二是搬家的时候，阿暴他们为了祝福我红红火火送了我很多火柴，后来我就把打火机彻底替换成了火柴。

对于吸烟的人而言，在公众场合用火柴太丢脸。但是我在家里用一小根火柴点熏香，真是一件倍儿洋气的事情。

对于火柴，不仅仅喜欢那种原始感觉，连着划亮它所产生的气味都那么沁入心脾。亮的那一刹那心情也变得澎湃起来，虽然也仅仅是“哗”的一声而已，但所产生的愉悦的情感足以填满整个耳膜。

那种磷的燃烧比镁的燃烧更接近人的情感，无论是从色彩还是从它的载体来说。镁常常是包裹在铁丝上，而磷包裹在木柴上。

《浓情朱古力》是一本特奇异的书，通篇的美食做法交缠着人的情感和命运。里面有一段是这样写的：“磷本是从大量蒸发的尿液中提取的，每个人的体内都有制造磷的物质。祖母说每个人出生时心里都有一盒火柴。但是我们自己不能把它点燃，就像在实验室里我们需要氧气和蜡烛来帮忙一样。氧气就来自你所爱的人的呼吸；蜡烛可以是任何音乐、爱抚、言语或者声音，总之是一切可以点燃火柴的东西。一根火柴点燃后，我们有一会儿就沉醉在一种强烈的情感中。我们的心里激荡着融融的爱意，随着时间消逝一切重新归于平淡，直到又有新的激情来点燃另外一根火柴。”

每个人为了活下去都必须找到点燃自己心头之火的力量，而那熊熊的燃烧使我们的灵魂得到滋养，那烈焰就是灵魂的食粮。如果一个人没有及时找到点燃心头之火的力量，那盒火柴也会受潮发霉，那时就连一根火柴也划不着了。

这个理论写得真是奇妙。所以也就不难解释另外一个我自己的疑惑：所有的宝石里为什么只有祖母绿，而没有妈妈绿，姐姐红，妹妹蓝，爸爸黑，祖父紫之类的宝石——因为祖母说出来的话一般都比较有含量，所以才有一款叫祖母绿的宝石——我估计我小时如果这样解释，我爸会一枪把我崩了吧。哗~幸好我长大了。

所以也就真的不难解释为何又出现了打火石这样的东西，本来就不是人的内心产生的情感，偏偏有了后天的辅助道具。用打火石点燃了内心，映着一张苍白的脸，像个调情高手一样地融化着自己和别人，大家都以为陷入了爱河，却发现终究没有萦绕心头的味道，磷的燃烧独特的味道——那是人的身体燃烧出来的情感。

后来又产生了伟哥，那是成就男人的辅助工具。可即使再强也不过被人尊称为：你们真是哥俩感情好，哪都有你们哥俩的影子。

后来，睡觉不够，有了红牛。后来，蔗糖不够，有了糖精。

胭脂红不够，有了苏丹红。脚步不够，有了飞机。感情不够，有了情书。关心不够，有了速递。

或者，因为你不够，所以有了我。

PS，有句话是麦兜封面上的，小悦很喜欢的一句话，可我怎么也没有太想明白：“那不是缺陷，是你不在梦中。”

哗，就句式来看，真绝耶。

写得真棒。连着最后小悦喜欢的那句，我终于明白意思了。因为有一天我也在想，为什么梦里所有的一切都顺理成章，而清醒之后漏洞百出呢？之所以我们觉得很多事情有缺陷，那是因为我们不在梦中。

这句话小悦比我早3年明白，你果然是北京卫视最有潜力的主持人呀。

2012年10月8日

曾经的我，现在的你

她生小孩了。

给我电话的时候已经是第 4 天，当时给了我电话可是我关机了。

电话里她很激动，这边的我已然不知道该说什么才好。

我问：你在哪里？什么时候生的？健康吗？他哭了吗？

她说：为什么只有你一个人不关心是男是女？

是男还是女。这个问题在我的心里已经被排除到了很远之外。

她并不是第一次怀孕。上一次在五个月的时候胎儿停止发育。

小学时的她是出众的校花。我只是远远跟着躲在后面欣赏的一员。

初中时她是我同桌。那些追逐她的男生对我都很有敬意。

高中时她在隔壁班。难过的时候她会想起我。

之前我听别人说过她的感情经历。一般被男生盯得太早的女生都很难保护住自己。现在的我也是这么认为，我认为她也没有那么好地分辨出究竟何为爱情。

她的青春是在溜冰场、镭射灯、舞曲、摩托车、高速公路、栏杆、迪厅、游戏机室留下过多重影子的。

后来她哭着告诉我，她曾经的他是如何对待她。年轻逼仄的爱一旦到了极致，用力拥抱就变成了暴力，脖颈的吻痕就变成了伤口，亲密接吻变成了最恶毒的语言，形影不离就成了昏暗的囚禁。而造爱之后的孩子就只能成为记忆中的流水，流向一个一个不知名的寒冷之地。偶尔在睡梦中她会惊醒，连她也不知道的次数，躺在冰冷病床上与冰冷器具的撕裂感，像图钉一样扎在她神经里，眼泪是不可能洗干净的。

我从小在医院长大，听说过很多因为子宫太薄而无法生育的结果。

她心里清楚这个结果，所以每次眼前浮现出她看到小孩的欣喜样子，我就闭上眼扭过头去。心里想着：一切一切都会好起来的。

她很会玩跳舞机。那时的我们都很会玩跳舞机。

没心没肺的我们曾开玩笑：你不能再跳了，我怕你再跳小孩就会掉在跳舞机上了。她也没心没肺地大笑，这种毫无禁忌的玩笑当唾沫般就咽了下去。

后来直到有一天，我们从酒吧出来，她在路上突然说：也许，我生不出孩子了。然后叹了一口气，是对自己挥霍青春的后悔或是对自己拼尽青春后却没有一个好结局而惋惜？

现在的他是她十年前的相识。她比他大五岁。没有人相信他们会一直走到现在，更不用提生孩子。从大学到毕业，到北漂再现在，他们也吵架也分手，她离家出走，他沉迷网络不问不留。可他也从意气风发的校草逐渐成为中年发福的男子。这个过程，她一直伴着他度过，她也曾经说：哪怕没有孩子，她也这么陪着他一辈子这样过下去好了。

去年她的婚礼我是主持。当时她已经怀孕五个月，那天我们谁都没有开小孩的玩笑，我们都变得小心翼翼了，有过上一次努力后的失败，这一次谁都不知道结果如何。可是她还是坚强地笑着，将自己喂得胖胖的，也在电话里让我猜她的体重。

曾稳坐十年校花宝座的她，为了孩子，最高体重也到了160斤，她不管不顾，为了孩子，一切都豁了出去。

他也变了好多。找了一处三居室的房子，购置了新的家电，等着三口之家的到来。

9月3日，她电话我，我关机。

她是想告诉我:亲爱的童，我生了，是个男孩，6斤半，自然分娩没有剖腹，母乳充足。

真的是恭喜你。我们认识22年，在北京的下雨天接到你的电话，听到你说这些迟到的喜悦，我很不争气地大哭起来。

她，我初中的同桌，她的事情在我脑子里总是那么清晰。是不是我曾经暗恋过她？不然，怎么对她的事情那么在意？想了想，关于暗恋这件事情，也许是会忘记的。比如第一眼觉得她真好，然后第二个念头就是告诉自己高攀不上。于是附于其周，成为摆设，终生映衬景物。我和她在初中还打过架，我把她的书包从二楼扔了下去，于是，她把我的课桌从二楼扔了下去。嗯，我应该不会暗恋她……

很多男孩没有成为女孩孩子他爹，但只要有心就一定能成为孩子他干爹。我觉得干爹都是有爱心的人，无论何种场合。

2012年7月15日

2010

2010 年，我 29 岁，那时的我认为 ：

活着，不在于斗争，而在于在无数的斗争中找出与你一样努力发光的人。

青春,就是这种东西。无论岁月如何改变,青春都以某种亘古不变的姿势作为存在，在不经意的时候会提醒你，你的青春在这里。无论世事如何动荡和变迁，保持最内心的那份无知、单纯、善良，因为那才是真正的我们。

我是把自己看得很低，但并不代表你就可以把我看得很低。我看我和你看我是两回事，所以请不要自作主张拉近咱俩的关系。

我有无尽的底线，我有超级好的脾气，我可以忍受一些不满，只因，我一直把你当作亲人，所以请不要浪费这种信任。

无论再过多少年，我都会喜欢那种“大家加油！”的口号。

每个阶段我都是需要一两个仇人的，活起来才带劲。

满街都是寂寞的人

凌晨1点到达的曼谷。用一个很眼熟的成语来形容就是车水马龙。各国人民脸上都是喜悦感，我呢，终于来到了泰国，进行不长不短的首次年假之旅。

班长靠谱地让酒店安排了车来接送。机场离酒店一个小时的车程，花费不贵，8个人一辆商务车才800泰铢，合人民币100多块。

我一直自诩出生在湖南的热闹城市，具体例子是凌晨3点街上还车来车往。在酒店收拾好东西4点出门，街上仍然在堵车，各种被挑剩下来的站街的人纷纷在用眼神试探着过往的人。

看见一个很美的ladyboy（人妖），他们的眼神都很热情。

夜宵摊老板都会说几句中文，所以到了曼谷，根本就不像是出了国，连时差也都只差一个小时，所以我一直准备着要倒时差的虚荣幻想也几乎很难实现。不过我和朋友还是坚持对外宣称倒了一个小时的时差。

住的酒店在巷子里，算是很有个性的设计师酒店，glow hotel。紫色的标志很远便可以看到。那种弄堂里的景色，绿色植物多得让人看不过来，忍不住不停地呼吸啊呼吸啊，和它们交换着清新。

泰国的酒吧很有特色，慕名去了有名的酒吧，看了各式各样的人（根据彼此需求不同而去不同的酒吧，以及看不同的人）。酒吧里人挤人，分几层，随便看一眼就能看到国内认识的人，不过大家都装作彼此不认识的样子，毕竟泰国也是外国，虽然遇见的都是熟人，但还是要装出一副身在异乡为异客的样子比较好。

除了本地人外，外地人基本上没有单身的，不是一群朋友一起来的，就是已经找到了当地的好朋友的。总之就是，人人都能够手牵手向前走，语言或许都不通，但是一个人牵着另外一个人的手，两个人都挺落寞的。

看到街头那些人，会有错觉，满世界都是寂寞的人。

可泰国又是没有寂寞的国家。对，用朋友的话来说，那些不安的情绪可能是孤单。

耳塞里放的是蛋堡的歌，软软的RAP，一个接一个地押韵，短短的旋律，夹杂午后温热的气息，满眼的霓虹色彩，要了一瓶本地的啤酒，苦苦涩涩的味道，每个人都没有喝完。

明天曼谷待一天，后天去芭提雅。

去任何一个陌生的地方，我都喜欢一个人带着相机沿着偏僻的巷子里走。说不上原因，只是觉得越偏僻的地方越能看到一个地方的真实，这和认识人一样。当人们都用惯性在处理生活中的考验时，只有突发状况才能看出一个人真正的性格。种种认识结合在一起便是一个完整的感知。

2012年10月10日

只是觉得经不起折腾

最后一碗面还没来得及吃，他们就分手了。

铺着木地板的阳台，为他设计的大桌子和书柜，他都没好好享受一番，又围着静安区寻觅着有阳光露台的一居室，最后寻来的，只怕也是眼角余光瞟过的。

不知道为什么我的记忆中，我师父就是一个很爱哭的人，虽然，他也没在我面前多么的梨花带雨，可一旦他心情低落时，我就会很担心地问：你没有哭吧？

我和师父第一次见面，是在上海的FOXTOWN，他请我吃的是一碗越南米粉。

我说他长得太像胡军，他很谦虚地追问：哪里很像？哪里很像？

他的博客里写得最多的不是黄耀明林一峰，不是陌生的地点巧遇的故人，不是武汉小时候的不忍回忆和大上海毫无节制的挥霍，而是一次又一次搬家的念头和经历。在不大的上海城，从东到西，从西到东，来来回回，像极了他的旅途，安定的生活像一直在旅途上，拖着行李箱，来一张潇洒的背影。

客户给我的已经敲定的商业案里，仅有的知名媒体人士的评委名单中赫然写着他的名字。他们把他当作大上海的指标，以至于连我看了也很兴奋，直说这个人很有名，能请动他真是相当不错。

他执爱酒，执爱喝了一些小酒后的微醺。然后可以絮絮叨叨地说上很多有趣的话，比起平时的他多了很多的活色。后来，每次和他相见，我们都约在酒吧，一瓶是不够的，两瓶只是凑合，如果朋友多了起来，怕五六瓶也是打不住。所幸的是，他还有几个同样执爱喝酒，却不怎么爱说话的朋友。CP老师和XY他们。以至于每次我出现，第一句话总是：现在的场子太冷需要我来搞氛围么？依然是只有人点头，没有人说话，但是那热热的心肠啊，真想让人和他们多喝几杯。

在还没有和师父见面之前，我已经不下十次跟他通过电话，目的是想了解一下，我花一个月的工资究竟买哪一款相机比较好，前提是能够和他拍出一样好看的照片——后来，在我的博客上也有人这样问我，我心里发出一阵冷笑，心想：小爷用的可不光是相机，小爷靠的是纯技术——估计当年的他也是这么在心里嘲笑过我吧。

北京和上海，我们了解近况更多是从彼此的博客上。从他的字里行间，也算知道了他对这段感情的不舍，不舍也无法解决。这种感觉不是谁都能够明白。

随着年纪渐长和责任渐重，以前我们犯过的那些错误出现的频率也越来越低，换在几年前也许毫不顾虑就决定了，而现在思前想后，最终放弃了眼前那段美好。外人以为你明事理，其实你只是觉得经不起折腾。很多时候，不是我们的另一半变得越来越好，而是我们越来越宽容。所谓一见钟情是见色起意，所谓天长地久不过是权衡利弊。长大的我们做的任何决定，必定是经过了万般辛苦的挣扎，谁的青春都经不起挥霍，何必要连累别人呢。

想起以前的签名档“不主动，不拒绝，不负责”，那是多么美好的一段时光。

如今，拖着全部的家当走在寂寞的江苏路上，即使仰面蓝天，满布阳光，眼角也很容易折射出光芒。

哭多了，别人就不相信眼泪了，眼泪最好还是留给自己。

我是多羡慕他能做出这样的决断，想起以前那个毫不瞻前顾后的自己，也只有那些被我伤害过的人记得起来了。

要命的是，两年之后，师父的这段感情又重修于好。这两年，彼此都走了一些弯路。后来，又走到了一起。由此看来，在感情中，习惯才是稳定最大的功臣。他们终于结束了租房，懂得生活，在浦东买了房，再谈起过去的种种，师父很淡定，挥挥手，就当是年少的无知。现在正在看这本书的你们，一定要记住，如果你和一个人在一起已经成为习惯，继续走下去，并不是一个坏的选择。

有句话忘了是从哪里看到，感情的开始就是一颗沙粒进入贝壳的开始，经过长时间的磨合，沙粒才有可能成为一粒珍珠，叫作幸福。

2012 年 7 月 15 日

能成为密友大概总带着爱

“能成为密友大概总带着爱”。

粤语歌总能够用简单的词唱出复杂的情愫。

有些情感能引起万人合唱，有些表演能让人泪眼婆娑，我喜欢这样的情绪，十几个人坐在KTV里静静地看着一出淡淡的MV，一言不发，每个人都从中记下他们看到的话，而我，从中选取了上一句“能成为密友大概总带着爱”。

虽然，对我而言，密友概念已经很多年不再提起。有时候看以往的日志，那些常常出现的人名，那些在聚会上常常拥搂在一起的人，以及当着媒体当着陌生人当着普通人面说过的“我们要一辈子在一起”的那些话，早已成为羞辱自己的资本了。

“好聚好散”是对夫妻说的话，想不到如今却也可以用来形容朋友之间的感情。

后来，我一个人经历了很长很长的黑暗的时光，工作，写作，然后再工作，偶尔放纵。

从鼎盛的氛围中脱离，独自成为一个孤独的人，在很多人看来是一件很可耻的事，连我自己也这么看。

以前看尹珊珊同学写的女同学之间对彼此的排斥，入木三分。

其实任何人之间都一样，因为他们足够相爱，所以他们有足够手段去伤害你。

我知道我被隔离过，从一群人轰轰烈烈的聚会，到一个人上班下班。

我也被别人背后指责过，不说千夫所指，起码也是众叛亲离。

我还被形容得一文不值。要知道，了解你的人伤害起你来，会让你更不相信自己，认为自己也确实就是不过如此了。

所以当我看到章子怡泼墨门时，那些详细的情节，跌宕起伏的情节，老友之间的恨意贯穿始终，以前那些说过的话，挽过的手，亲过的额头，相亲相爱互相保护的那些话，就像是一个笑话，让懂得羞耻的人更羞耻。

我选择了闭嘴。进行了这几年的自我修炼。

既然你比别人更懂我，比别人更了解我，比别人更在乎过我，所以你伤害起我来也是不择手段的。我自然也很了解你，我看过你在我面前对别人的鞭挞，我自然知道自己总会有这么一天也落得这样的下场，虽然到今天为止，我也没有反驳过一句话。因为我知道，那样做的话，所有的人都难堪，而我们的人生也就变成一场闹剧了。

我不想破坏你。更不想破坏自己。

花了多年的时间，结识了你们这些朋友。走的走散的散，连我自己都对朋友这个概念抱有疑惑了，不会再坦诚以待，不会再肆无忌惮，那就都发乎情止乎礼吧。

后来，陆续遇见了一个，两个，三个和我们曾经类似的人。

和我们类似的是，他们对友情有极度的向往，和我们不一样的是，他们都知道体谅包容和控制情绪。

“如果有人在你面前对你的好友大放厥词，你会作何反应？”这个问题很多人回答过。有人会说“咱们换个话题。”有人会说“对不起，我有事情先走一步。”我的选择是能解释就解释，不能解释就往自己身上揽，他和我是一样的人，既然我们能坐在一起，他就不会太糟糕。而出于一个人的基本需求，我也是多么需要朋友这么对我。

也许，因此，我得罪了一些人。事后，我也发现有些人并不值得我这样的对待。但是我从未后悔过。因为那样的我，才有现在的这些朋友。

然后，才有了我的第一部电视剧《离爱》。

E 因为开车喝不了酒，然后找了个垫背的司机来，和大家又放开了喝。

G 在夜深人静时发来壮志雄心的短信，说我们一定会成功的。

M 想了想突然说：我们肯定会红的。

L 一夜未合眼从片场赶回来也要参加我们的建组仪式。

众人的前辈 K，第一次见所有人，还穿了西装打了领带。

两位投资人更是对一切充满了信心。

就像大家说的“所有人因为信任而聚在一起，并不代表了未来的我们会有多么成功，仅仅是证明了我们在一起就是一件正确的事情。正确的人，经过了时间，终究会在一起。”

任何虚伪，强装，虚荣，在时间面前，终究落败。而能经得起考验而成为历史的，必是对少数人的真诚，和对大多数人的平和。

活着，不在于斗争，而在于在无数的斗争中找出与你一样努力发光的人。

星星点点连成一片所谓朋友。28 岁末，终于想明白这一点。

嗯，看到这里，突然觉得写了一本青春纪念册。多清晰的文字和脉络，恨也恨得嚣张，爱也爱得张狂。我那几年还真没有白过。这一年更多的感触是朋友的重要性，原来很多很多事情之所以能够成功，并不是自己一个人的坚持，而必定是一群人的努力。如果要在自己年轻的时候做更多的梦，就一定要找到那些能和你一起做梦的朋友。

还有一句话挺好的：谣言止于智者，流言止于呵呵。

2012 年 7 月 15 日

矫情是世界上最美好的东西

“或者是明天，或者是梦里。我重新念起我最爱的诗。我独自一人，感动了所有的风和日丽。”

——官傲《或者明天》

如果我不是一早认识他，我可能会早一点喜欢这个声音，更早喜欢这句词，更早喜欢智勇送给我的这张 CD，以及 CD 扉页上的那些字字渗透青春的序。

一个人，因为先入为主的印象而掩盖众人看到他更人性的一面，不是他的悲哀，而是众人的悲哀。

写到这里，不禁有疑惑，一个人真的有可能被另外一个人完整地了解吗？还是说，这是一个不可企及的愿望，我们一直在这种不可企及的愿望中步履蹒跚。

如果你愿意了解我，你就能看到我拿着手机发呆的样子，很傻。你就能看到我每条短信后酝酿的时间，很长。你就能看到我每个笑容背后练习的次数，八颗牙。就能看到我们终于有了同一个域名下的博客。

看到一句话，觉得写得很好。可是写得这么好，也不能改变什么。

“因为在意旁人的目光不能在一起……因为升学压力不能在一起……因为相隔两地不能在一起……因为相见太晚不能在一起……因为聚少离多不能在一起……因为不能习惯将朋友关系转化成恋人而不能在一起……因为星座不合不

能在一起……因为EX的阴影不能在一起……因为过了这村就没这店而不能在一起……这个世界能不能单纯一点……”还有可能因为太过于爱对方，而不能在一起。因为太爱对方,就太容易受伤,因为害怕未来终要受伤,不如不在一起。

如果是以前看以上这一段，我铁定不会和这个作者成为朋友，矫情，全世界都是矫情，现在却觉得矫情是世界上最美好的东西……

彤小姐在微博上称呼我为情圣，问我怎么随意写的话都那么的感人。我说还真是情剩,所以直到我这么大龄才似乎懂一点这些。以前每天都是自省自省,想怎么做好一个人。现在每天思考情感情感，想怎么做好一个爱人。以前那些和我在一起的人儿啊，真是辛苦大家。

大学时，甚至大学毕业后，我很长时间都是别人的爱情导师。如何追女孩，如何搭讪，如何约会，如何求婚，如何办婚礼，如何解决夫妻争端，如何劝和，这些全都是我的强项，如果有专业考试的话，我想考卷不用改出来，院系就得聘我当导师。

九哥是在夜间给我发短信说他老婆生孩子了，苏喆也是在夜间给我发短信说他老婆生孩子了，我们仨当年穿着拖鞋在大学里像个流氓，俩流氓成爹了，剩我一个，还在干着这些尽拉长了时间的事情。人生兜兜转转的，始终到不了下一站。或者说人家已经在山上生老病死了，我还开着车绕着山路转着。

有天晚上宿舍突然停电，所有男生跑到走廊上，隔着巨大的天井狂欢。先是扔瓶瓶罐罐，再是扔垃圾桶，郭青年一看激动了，把宿舍的热水瓶提起来，当俩炸弹扔了下去,至今我耳边回响的是他嘿嘿嘿嘿仿佛强奸得逞的音容笑貌。后来芳来把张民民许久不睡的床单拆下来，一把火点燃，巨大的火球从五楼喷薄而出，映亮了几百名男生青春的脸，全是征服未来世界的渴望。肾上腺素不知怎么的就起来了，我和九哥跑到六层，找了一张闲置已久的木头床，然后合力远远地扔了出去，一张巨大的木头床，呼啸着经过五层，四层，三层，二层，一层，轰一声，裂成碎片。一场狂欢画上句点。

隔天，学院将此事作为要案大案来抓。九哥挺身而出，说是他一个人把床弄下去的。然后被记了留校察看的大过。我一直觉得如果我被抓，人生就毁了。九哥觉得如果我被抓，学院只会处分他，他就更丢脸了，还不如自己扛着，落个好名声。

然后这件事情就被我这样一直记住了。

我一直都是记不住生活细节的人，只记得大起大落，所以活得很自在，而没心没肺的另一个意思是看得开。都说我看得开，究竟是要有多看得开呢？

“笑容沉下来，瞳孔便放大。死寂一般。这算看得开吧？”

可你却是连毛细孔都能看清楚的人。不用凑上来，不动声色已经可以猜到所有的情节。然后说：“未来是个悲剧，我也可以陪你一起走下去。”

谢谢～你真是个活雷锋。

今天微姐很严肃地对我说，弟弟，我们一定要记得在我们进步的过程中谁帮助过我们。人常常会忘记自己的顺利，而记得自己的不幸。常常会记住自己帮助过谁，却忘记谁帮助过自己。然后她列了一张名单给我，接着说：她他和他们，在最近这几年中，江湖救急过我们姐弟俩，要记得报恩……

微姐就是这样一个人，所以我心里一直默念着：如果某一天我真的突然被皇上召进了宫中，只要手中一有权利，我一定会给我们的恩人们封官加爵。包括她，如果我有权利给她封后的话。

2012年10月11日

无论你走了多远

今天是我阳历的生日，也是爷爷的阴历生日，也是元宵节。刚到上海，准备下周一系列的提案。

爸爸打电话来，说爷爷早上走了。

我懵了半天，一句话也说不出来。

前几年，他过80大寿时，爸爸请了很多戏台班子唱了三天三夜，凌晨开始放礼花。

爷爷一个人坐在老家的田埂上，远远望着人头攒动的戏台，不知道在想些什么，我给他拍了一张照片，他微微地笑了一下。那个时候，他基本上已经认不出我来了，也听不到我们在说些什么，但是一个小老头很固执，所有人就必须听他的。

5岁的时候，父母工作太忙，我被放在爷爷奶奶家寄养，那是一个煤矿，整个路面都是黑的，印象中就是黑蒙蒙的一片。有一次，因为我拿筷子不齐，顺手就在桌子上顿了顿，被我妈骂了三天，于是迅速被送回江西的外公外婆家继续我的寄养生活。

说来很有趣，爷爷奶奶生活在煤矿，外公外婆生活在钨矿。不一样的是，爷爷奶奶都是工人，而外公外婆家有院子有警卫还有特想把我教育成优秀人才的大小舅和大小二三四姨。所以我的教育也就天壤之别地分了两个极端。

舅舅和阿姨会组织周围所有的邻居小朋友进行智力测验，每天晚上都有幸运52的80年代版，我也常常拿到奖状。而小姑小叔则每天出去打牌，赢了钱就给我买东西吃，有一次小姑实在太沉溺于赌博，于是回来就被奶奶用菜刀砍掉了一截小手指。

这种血腥的回忆是经过爸爸提醒我才记起来的，奶奶是个性格很好的人，从来不发火，自从爷爷十年前开始有一些老年痴呆的症状之后，就是奶奶一直在照顾他。无论爷爷何时何地怎么发脾气，她都会默默地打水，收拾，帮爷爷擦身子，就像小时候她对我一样，从不发火。现在想起来也不太明白，奶奶这样的人怎么会把小姑的手指剁掉一截。

今天我刚到上海，爸爸的电话就来了。我问：奶奶还好么？爸爸说，奶奶还好。

抱歉的是，我不能陪在她身边。

抱歉的是，三年前奶奶也渐渐开始忘记我的样子，而我却不能多做些什么。

昨天看到一个帖子，有人说“我要去 1999 年了，向各位告别，以后再见。”帖子下有很多很多的留言，大多数看了很感人，其中有一条是：请你告诉 1999 的我，告诉我说奶奶第二年就老年痴呆，就会渐渐地不认识我，所以请你告诉那个时候的我，让我多花一些时间去陪奶奶。

外公走的时候我也不在身边。后来我想，如果我在的话我会做些什么呢？

其实我以前是一个特别惧怕死亡的人，小学的时候，一个周末的傍晚，我坐在阳台上看夕阳，整个下午一动不动，我想的问题是，如果有一天，周围有亲人离我远去我该怎么办？然后一个人特别恐惧地坐在夕阳底下，血色的残阳，闭上眼就浮现出那时的情景。

时至今日，对于死亡，我已经有了别的认识。就好像每次再回外公家，我以及弟弟妹妹舅舅姨姨们都没有半点悲恸地拿起三炷香，就以外公在跟前的语气和他对话，谢谢外公，今年我过得还不错，反正我不说你也肯定知道，谁谁谁怎样了，谁谁谁又怎样了，但是你不用担心，我们已经劝过她了。虽然外公已经离开将近3年了，可是乍想起来，我觉得他还像以前那样，背靠在沙发上，看见我们就微笑，偶尔站起来去阳台上打理他的盆景和植物。

所以对于爷爷的离开，我并非接受不了，我担心的是奶奶是不是会哭出来，是不是习惯了这些年的生活之后，突然会不适应。我的爷爷奶奶外公外婆都是很厉害的人，他们养着那么多孩子，把所有孩子拉扯着长大，爷爷和奶奶生了7个孩子，最后只活下来4个，他们的能力只有那么多，而我的生命也在他们的庇护下，得以生存和延续。

以前每次过年过节，小学都没毕业的爷爷会拿出一本字典来让我认，认对了几个字就给我几块钱，后来发展到让我对对联。很长一段时间，对于过节我都充满了期待，爷爷的目的很简单，就是觉得自己读的书少了，哪怕我多认识一个字，对他来说都是值得开心和庆祝的事。我曾经靠小聪明赚了他很多钱，曾经让他觉得有莫名其妙的骄傲。后来我出了书，他拿着我的第一本书，捧在手里翻了又翻，煞有介事地读着，后来爸爸过去指着封面上我的名字说：这个是你孙子的名字，这本书是他写的。爷爷才很恍然大悟地表扬我很不错。

后来，我把陆续出的书都带了给他，他已经不太记得我是谁了。我想幸运的是，在他曾经的记忆里，他的孙子曾经认出了一些字对上过一些对联，在他记忆的最边缘，他记得他的孙子曾经出过一本书。

过年的时候，我见了他最后一面，我把蛋糕喂到他的嘴里，他任性不吃。好吧，我递给他一个红包，里面是我的工资，他便很开心地收下了。

走的时候，小姑说：以前你在湖南台的时候，爷爷老是看到你。现在只要一开电视，他就会问，同同在哪里，同同在哪里？

其实我这辈子也做不了什么大事，只要让长辈觉得长脸和满意，我就知足了。

无论你走了多远，你都走不出我的心里。

爷爷，我们现在一切都很好。我想，这些你一定都了解。你走的时候，爸爸说你走得很舒服，并非疾病困扰，八十多年，你只是累了。

2012年10月10日

贱狗人生

爷爷走了之后，我在上海又待了十天。乘了十个小时的车见到的客户，只是匆匆说了5分钟的话，然后出来，买了一笼热腾腾的小笼包，赶往下一个城市。

有时候常常忍不住想，为什么，我会在干这样的事情？

然后转念一想：无非是自己生得贱。

Ann总结了我和她的人生：我们是那种可以过得很富贵，也可以过得很贫穷的人，因为我们从不抱怨。不抱怨的原因有很多，最主要的是，即使抱怨了，除了让人围观看笑话之外，一无所得。

在陌生的城市，没有一个熟人，我和广告部的同事王健大口喝着啤酒，检讨着自己过去的不足，聊些有趣的荤段子，偷换个主角，然后感叹这几年多少算是认识了一些值得交往的朋友。

我应该是变了不少，以前有话总要写下来。现在在微博上看到那些妙语连珠的人们，不能说个长篇人生，只能说个简短的调情，想到过去的自己，觉得他们现在生活得一定很辛苦很辛苦，因为要花太多时间去写漂亮的微博，导致都没什么时间去让自己做一个健全的人了。现在的我宁愿和你坐下来，点上一两箱啤酒，玩玩骰子，猜猜十五二十，或者干脆什么都不说，碰个杯就一饮而尽。

在上海的一周出现了人生中第一次长时间失眠。

闭上眼睛，听见精神一点一点消逝的声音，却完全无能为力，以至于脸上又长出了难得的青春痘。

我算是把师父吓到了，在酒吧逢人便说我徒弟醉了我徒弟醉了。

醉了酒去上海的电动城找人单挑 KOF97，选玛丽一招便使出了 MAX 的连击，对方的血槽空了一大半，惊得对面的好友站起来看这个人是不是我。

是我是我。只是我熟悉的那个我被隐藏了很久，只需要一点点酒精便可以。

周日，趁着最后一点时间去了电影艺术学院和同学们深度沟通了一下。那是张冠仁的弟子们，很好的一群同学，即使中间我说了不下三个黄色笑话，且说了很多低俗的词语，到最后说到动情时，他们还是很给面子给予了热烈的掌声。那个叫阿顺的男生，说自己实习的故事，说着说着就要哭起来了，其实每个人实习都是这样的，不要轻易地原谅和可怜自己，如果自己做不到贱的话，就永远学不会简单满足的快乐。

我 25 岁的时候《女友》做了一个专访，问我像什么动物时，我还记得当时我用“贱狗”来形容自己。四年过去了，我比一些人乐观，比一些人看得开，比一些人无所谓，比一些人更自在。虽然我也有很急躁的时候，那是因为狗急了也会咬人。

我希望我能一直这样，像只蜷缩在角落里等待着被发现的贱狗们，好好地喝上一杯。

在广告部待的一年是我最认真的日子。认真思考每一步的计划，认真思考和每一个人交往的细节，认真思考未来的生活。虽没有做出什么大的成就，却也让自己知道了自己可以那么低，让自己知道了做广告其实就是艰辛。嗯，还记得那一天我们坐了 6 个小时的火车，转了两个小时的汽车，打了一辆黑车，到了客户那，又等了两个小时，聊了不到 5 分钟，被打发走人。没有吃早餐和中餐，就在路边买了两笼包子，加了一些辣椒酱，吃得很开心。我并没有因为失败而颓了，反而因为这种使尽法术也无力回天的失败而释然。看吧，我足够努力了，也失败了，那就不必懊恼了。其实到现在我也是这样，一件事情你尽了全力也没有好结果，反而我更释然。最怕的就是，因自己没有尽力而造成遗憾。

2012 年 3 月 20 日

以上是 2012 年 3 月看这篇日志写下的文字。2005 年，我是《女友》专题采访者之一，篇幅为半页。那是我第一次上这本杂志，是一件极其兴奋的事——这是发行量最大的校园读物。过了 5 年,2012 年 4 月,《女友》对我进行了专访，篇幅为 4 页。上周，我拍摄了《女友》9 月刊的封面。

很多人因为不知道的未来而焦虑，其实没有人会想到几个月之后的事情会怎样，几年后会怎样。

但我相信，你要坚持做一个好人，然后你就会遇见一些好人，然后一些什么的都会越来越好。谢谢袁倩姐，谢谢秀华姐。

2012 年 6 月 26 日

跟你借的回忆

我在MSN上问水：那个时候，我们住在一起的时候，你还记得有哪些故事特别难忘吗？

因为看了龙应台的《目送》，合上书时，试着闭上眼睛久久地回忆，期望那些浪漫如烟火的青春以及各色缤纷的情节，像潮水一样在记忆中涌上来。书里一帧帧照片，裹着艳丽的回忆，一字一句敲打人心。

水是这些年很难得看到我一点一点变化的人。因为隔得近，所以轻微地摆摆头，就可以看清楚我努力挣扎的这些岁月。所以只有他会喝得微醺托着下巴说："你真是个好人，也真是个会让人讨厌的人。"

说起过去的日子，他总是记得比我清楚很多。所以有时候我常常会问：那时的我请问在做什么呢？然后他睁大了眼睛，看着我，仿佛我有多么严重的失忆症，于是我会很不耐烦地说，赶紧说吧。

因为相信我，他做了近视眼的激光手术。第一次手术失败之后，他在床上什么都干不了躺了十天。那时我在长沙工作，每天只能和他通电话，他的心情极度糟糕，一度认为自己此生失明——他这么说的时候我是相信的，他一直都是一个自我感觉特别坏的人，好天气也常常被他的坏心情搞得千疮百孔。后来我实在看不下去了，就说，要么你来长沙和我住一块吧。

他在叙述这一段的时候，我是断层的。我只能很含糊地回答：唔，唔，唔。然后呢？

"然后我就到了长沙，每天你都回来很晚。那个时候，很辛苦，我们便一起接了各种各样的专栏，横七竖八地凑字也搞了一些钱。”

“啊？我们那个时候一起都在写专栏吗？都是些什么专栏？”

“主要都是你的专栏，我也会帮你改，最多的一次我们收到了4000块的稿费。白天，我会拿着室友们的衣服去大学城的洗衣房，每天在学校里走一趟，心情也变得很好，觉得生活质量也提高了很多。”

是的，我们刚考完研那一阵，约好了在长沙见面。以前大家都说他是小黄磊，可是第一次见面，他的脸色铁灰，感觉是被锁在青岛海边凌辱了三天三夜逃回来的。他说他在青岛考研的时候，房间里太冷，穿了两条毛裤躺在床上也觉得不够——他一直都不太会照顾自己，我和朋友争吵最厉害的一次便是和他。那时我已经到了北京工作，让他蒸一些速食食品，他直接把食品放进瓷碗，然后把瓷碗放进蒸炉，蒸了一个小时都没把馒头蒸热。

我本身就是一个不太会照顾自己的人，所以遇见比我更次的人愈发觉得燥郁，因为几个馒头便大吵一架，从性格扯到品性从小事做不好扯到大事成不了扯到交朋友的原则扯到很久很久以后的预言。

我们一块从郴州出来的有几个好朋友。无论发生什么样的事情，大家总会一年聚个几次，聊聊近况。自从馒头一事之后，我就懒于和他聊天，因为我一直很贱地觉得：你先把馒头蒸好了再和我说话——真的，有时候人真是变态得稀奇古怪。

后来他留校了，在复旦继续当老师。我依然觉得那个连馒头都蒸不熟的人又能如何呢？后来别人陆续说起在《天天向上》看到他代表复旦诗社，看到他又拿了什么诗歌大奖，又被邀请去哪里做发言，获得了多少的赞助，我都觉得——别和我提这个，那个在我心里永远都蒸不熟的馒头！！！因为那个馒头蒸不熟导致我也一直坚定地认为他就是一个不想学更多生存知识只想在学校里生然后死在学校里的人！完了还不解恨，还非常挑衅般地说：要不要比一比谁在野外能够生存更长的时间？？？？——现在想起来，他估计还没到野外就得死了，肯定是被我这种癫狂的强迫症给吓死的。

我不得不承认，有时候我真的是一个特别低智商的人。我特容易认死理，虽然我一直告诫着自己，要大气，大气，像李小慧成为一个大气女孩那样成为一个大气男孩，可是那又是多么难做到的一件事情。

今年春节，他喝高了，带着一瓶红酒过来找我，指着我的鼻子一阵比画，我扶他走下楼梯。在郴州待的时间没有太长，趁家庭聚会时，我也叫上他一起，还有我表弟。饭桌上，我一直在教育表弟，表弟一直说是的是的，看起来特别想离开我之后重新做人。

因为有急事，我得先走一步，于是让水把我表弟送回去。

后来才知道，那天下午我表弟跟着他见了几拨朋友，水也在我的角度为我表弟好好梳理规划了他的未来。我表弟甚至兴奋地要来了纸和笔，让水给他推荐一些好书，列一个书目。

我妈和外婆一直希望我把表弟教好，谁知道聊了一两年还没有什么大成效之后，水居然有本事把老弟教育得服服帖帖。我很郁闷地坐在那里想这件事情的前因后果。水说：你放心好了，当年你教育了我，就要相信我也可以一样把你表弟教育得很好。

你看你，又帮我照顾我表弟，又帮我一起回忆过去，重要的是，无论何时你都不会生气，这些点，我都要向你学习才行。

记忆中，不久前上海下了一场很大的雨，我们走在复旦的校道上，你付了账，送了我两本书，帮我开了车门，招手说再会。

在回去的路上，我希望自己一直以完整的样子活在你的记忆里，等我又忘记的时候，还是可以来问你，重新过一次完整的人生连续剧。

看到此处，我有合上电脑的冲动。深深地吸了一口气，书房里的薄荷长得很茂盛，所以空气中也有它的气息。我想，看这些文字的你们，应该也能体会我的心情吧。人生中，这样的朋友总得有一两个。于是拿起手机把刚才想到的这些话给他发了过去，然后十分钟都没有回应。我试着拨了一下号码，发现此号码已不存在。于是我又恶向胆边生了，换手机居然不通知，现在的他显然仍缺乏社会生存的素养……肖水同学!!!!

2012 年 7 月 15 日

你的青春在哪里

第一次觉得一个人的文章可以那么好看，那么好读，那么代表着一个人的潇洒气度和胸怀，完全是因为郭青年。

大一的时候,全中文系进行写作摸底。哲的标题是“论三国”,我的标题是“碎花格子土布做的脸”，啸东的标题是“棋王”。

第一次摸底,每个人拼了命在写,有人卖弄文笔,有人掉书袋,谈古论今,生硬造作。新生的第一次作文都是全院大阅卷，后来因《沧浪之水》一书获得当代文学奖的阎真老师也是阅卷人之一。纵使我们写得自己多么的痛哭流涕，最后我们班的成绩还是堪用折戟沉沙来形容。其他班级都有三四篇范文入选，轮到我们班，只有郭青年入选，且是全院教授推崇的第一名。就是那一年，郭青年的好文章成为伴随他四年的光环。

回到郭青年。

大一我刚入校，正在安顿铺位时，听见对面的男同学用语速极快的外语在和家人通电话，完事后，朝我笑了笑，上床午休。我忙好之后，用宿舍电话向家里汇报。妈妈问我宿舍同学好吗？我特意强调了一下：好的咧，还有一名外籍同学，不过我还不知道他是哪个国家的，但是肯定是亚洲国家毫无置疑。泰国或者印度吧？

像我这种小角落来的学生,能够和省会的学生住一间宿舍就觉得赚大发了,有首都的同学就仰人鼻息了，遇见外籍同学简直就是一件特别隆重的事情，在接下来的几个电话中，一直在为此事进行推广。

等到苏喆从外面回来之后，我很神秘地问他对面的男生是哪个国家的，他看了我一眼说：“湖南邵阳洞口。”

“他说的不是外语吗？”

“对，相比起我们的方言来，他说的就是外语。别提他的普通话了，他说普通话你会自杀的。”

《青春》是我们大一时学吉他最先学的曲子。

“青春的花开花谢，让我疲惫却不后悔，四季的雨飞雪飞让我心醉却不堪憔悴，轻轻的风轻轻的梦轻轻的晨晨昏昏，淡淡的云淡淡的泪淡淡的年年岁岁。”

院系里表演节目，苗苗作为主唱，穿了一条等着被人掀的裙子，即使唱得山路十八弯，所有人还是沉浸在氛围里。

以至于我在写这篇文章的时候，听着这首歌，还是能想到人手一把吉他坐在床边练习的样子，在活动中心邀请女生一起跳舞的情景，谁都不太敢和女生搭讪，最后只能男生和男生搂在一起转来转去。

“有小孩打着呼哨从门外经过，我和猴子躺在床上，一言不发。听着由远而近再远的哨鸣，内心一阵澎湃……”时间已久远，郭青年是不是这样写的，我也记不大清楚了，可是脑子里永远都印记着“小孩们打着呼哨……”的那种场景，以至于后来我写的文章里，这几个字也就常常出现。看他的《青春》的心情我依然记得，从头到尾，没有停留一秒，一气呵成，像内功高深的师父在帮着我们打通任督二脉。坦白讲，郭青年的文章让我第一次明白了，什么才是好的文章。啸东看完之后，不停地说：这才是好文章，郭青年太屌了。

因为大家都说他太屌了，以至于郭青年后来就不怎么写文章了，剩下的几年都去钻研诗歌、吉他，别的能够释放天性的艺术方式了。不过他的文章写得一级好，却已是不争的事实了。此后的三年里，包括我在内的中文系同学依然在坚持不懈地从书写不同的文章里摸索自己的风格，偶尔向郭青年请教，他也顶多是回你一句“嘿嘿”。因为即使说多了，他的普通话你也不一定听得懂，也就印证了好的东西永远都是只可意会而不能言传的。

毕业了。宿舍的男生四分五散。啸东去了汕尾做警察，苏喆进了广州武警，江华去了长沙规划局，于鸿去了湖南电信，我进了湖南台，鲁梁留校，还有人去了政府职能部门，女生们结婚的结婚，生子的生子，出国的出国，按道理来说，人生到这一刻，也就失去了往日的光彩，那些年轻的动荡至此就已结束了，谁也不期待彼此能够再活出什么翻天覆地的花样来。

郭青年选择去了新疆某所大学支教，教的是当代艺术。一去就是三年。偶尔会登录同学录在同学们的婚礼照和全家福中上传几张他在新疆的照片，还有他最新的作品，抽象且随意，不变的还是他身上那股恣意放肆的性子。

每次他出现，大家都会在底下呼啦呼啦地回复，因为他是我们当中走得最快，跑得最远，状态最自由的人，他象征着整个班集体的自由。底下的留言是：等着我们过去看你哦；今年下半年我带着老婆去，记得迎接我们啊；明年我们春天约好了，一起去新疆会会你……

他的回复永远都是：好啊好啊好啊好啊。

然后，就我所知的是，从来就没有一个人去。没有人在这个紧张的社会上还能恣意信守自己关于自由的承诺，这未免不是一种悲伤。

因为众所周知的原因，郭青年无法继续在那待下去，只身驻扎过去，最后只身逃离出来，他在电话里说：差点连命都没了。他的普通话还是那么差！听起来让我很想微笑，鼻头很酸。

同学们常说很喜欢见到我，是因为我好像那么多年没有变过，他们看到我就像看到了过去的他们。谢谢我一直守在过去的回忆里。

和郭青年通电话的时候，我突然有一种很强烈的这样的意识，他说话的语气，方式，就像大一的时候，我看到的那个人，一直都没有变过。

现在的他在北京，到了北京一年多，安定下来，也终于找到了我的联系方式，前天在博客上看到他给我的留言：猴子，还好吗！我是郭珍明，到北京半年多了，在宋庄画家村，住农家院子，过乡间生活，做当代艺术，你有时间过来玩，这里是另外一种世界。祝好！

突然好想哭啊……哭的原因说不上来，你知道的，为了买房为了买车为了获得更多人重视，我和所有人一样，每天忙忙叨叨忙忙叨叨，有了微博也不愿意再花一个小时写一篇博客，有了太多朋友连微博都不想写，书买来了放在床头洗手间一天看不上一页，未读邮件一大堆也故意装作看不见。突然看见一个人叫我大学时的外号，那种坦荡荡的语气，直来直往的方式……

和微姐回家，她家的菲菲坐在后座上。菲菲 12 岁了。从微姐一无所有开始就跟着她，直到现在。如果以人的年龄来做比较，菲菲在狗里已经有 80 岁了。它坐在那里，很安静地坐着，微姐喊了一声它的名字，它站起来，把头从后座上靠过去。蹭了蹭，又坐下。

青春，就是这种东西。无论岁月如何改变，青春都以某种亘古不变的姿势存在，在不经意的时候会提醒你，你的青春在这里。无论世事如何动荡和变迁，保持最内心的那份无知、单纯、善良，因为那才是真正的我们。

上次留过言后，至今，我仍没有见到郭青年。我甚至不知道他的手机号码换了没，也不知道他是否还是一个人待在宋家庄的画家村，不知道他的画展是否成功举办。关于回忆，不知在何时已经成为我们拿来力证自己童真与纯粹的工具了。一起围坐时唏嘘，散了之后又回到现实无动于衷。你流着热泪，仿获至宝般的模样也仅仅限于谈起过往的时刻，于是，围坐着祭奠青春，早已成为了大龄青年雷打不动的周末消遣。我们没有看望过老师，没有联系过同学，没有回过母校，没有时间和兴趣拨打千方百计寻来的同桌的号码。一切都是祭奠的形式，死去的青春化成灰也埋葬不了如今寂寞的单身。所以，说谈就谈的恋爱，说走就走的旅行，才显得尤为珍贵。那是我们避免灵魂僵直最好的方式。

2012 年 3 月 22 日

回家过了一个国庆，回来写了一篇微博：见了很多同学与老友，喝了很多很多的酒。以前我也想，等到毕业一年，三年，五年再见，但其实过程中很多人就断了联系。所有现在能见到的朋友都是见一次少一次，你甚至不知道下一次再见的时间，所有少年相约的承诺在未知命运前都只是当下的安慰。你总有天会明白：有些人，有些事，一时错过，就是一世。

2012 年 10 月 10 日

活在自己的世界里

“别谢谢我，这是你应得的。”

如果不是宣谣说了这句话，我也许根本就不知道什么是自己应得的。双鱼座的我，习惯了自我纠结，习惯了忍让做 Nice 男，习惯了自我疗伤躲避难堪。

我活得很乐观，比大多数人乐观。所以我一直都对新朋友说，什么累什么苦什么难过那些都不算什么，所以我才能永远记得那些苦中的乐，便不以为苦了。

我也曾一个人戴着耳塞，绕着生活了十几年的城市潜伏步行若干圈，听到悠扬旋律也会哭得胸膛起伏不定，站在十字交叉的路口，看着初恋对象残留在人行道上的影子，蹲在操场上看运动员都渐渐散去，天色也从湛蓝变为昏灰，从昏灰到漆黑。

比起飞机来，我更爱火车。在安静的软卧车厢，坐在走道的窗边，吹着冷气，听着熟悉的乐曲，无论是曾经后悔的，还是爱过的，内心都轻易便充盈起来。

有些歌如同时间一样，是能够流逝，与生命并存的。

正因为很少与人分享，所以自己也就成了一个巨大的垃圾桶搅拌机，亏得这些年用了足够多的脑筋，才能把这些垃圾一点一点地归类，终形成自己的图书馆。再遇见对应的问题，直接进入书目找到当初的应急做法。

以至于遇见那些因为冲动而做出出格事情的人，我总是会在心里默默地叹息一声。幼稚的年纪早就过去了，我已经不在意被友人称为伪装得可怕，道行特深，耍纯情，或者别的什么了，我太清楚自己了，清楚到我也不需要任何人告诉我“你必须要怎样，你不能怎样，你还能怎样”。

如果有一天，你终于如同我一样知道如何让自己更自在，那一天，我们才能像个大人一样地对话。我活在自己的世界里很舒服，我也知道谁会让自己的世界更丰富，可你进入我的世界之后，却对那些花了我多年时间成就起来的建筑进行定点爆破，理由是它们不合适你。

可你又适合它们吗？

还是刚出道的学徒，就想着去炸碉堡，最后成为了烈士；还只是在一个虚拟的世界里，写不进我们的教科书。

我是把自己看得很低，但并不代表你就可以把我看得很低。我看我和你看我是两回事，所以请不要自作主张拉近咱俩的关系。

微姐常说：有时候不见你就不舒服，可是见到了也不想说什么，点东西，吃东西，喝东西，结账，上车，把你放在小区门口，然后走人。有时候，人就是需要自我精神世界里的一个不可或缺的摆设。我的世界只有我一个主人，如果有一台洗衣机某一天突发奇想想成为我世界的主人，看我不拆了它。

补一句：

A：我出差太辛苦，你今天继续托梦让我梦到你吧，这样我才不会孤单。

B：你太折腾我了，我跑过去太远了，昨天已经被累死了。不如我们取个中间的城市吧，找个陌生人的梦见面，让别人梦到我们吧，大家都不累。

好动人的对话，和谐社会就应该过这样的和谐生活。

看，都忘了最后这段短话的主人是谁了。当时记下来的时候一定是觉得巨甜蜜吧，两年之后，谁又记得谁说过些什么呢？没有谁离开谁就不能活，不能活只是你觉得自己受了伤害，你要用对方来堵住伤口而已。其实你的伤口在你这些年的不断受伤害的过程中，早就学会了自我愈合。也许你脑子里还有念念不忘的惆怅，可你的心里早就放下了。也许你的嘴上还会絮絮叨叨地说你爱着谁，可你的伤口早就愈合，你都忘了伤口在哪了。

这就是这个年代的我们。我们比自己以为的更容易受伤，但我们比现实的我们更容易承担。

2012 年 10 月 10 日

我爸爸

五一回家。爸爸很早就给了我电话,问我安排,然后说要带我去一个村子打渔,拔笋。

我和我爸有一个共同特点,特喜欢走在陌生的地方,有山有水更好,一路走过去,一句话也不说,亦步亦趋,是我心目中的父子关系。

而他也开始喜欢上了给我安排回家的行程,上次带我去了一趟有500年历史的古村落,然后站在村头跟我和朋友们分析风水,哪里是空旷的地,哪里是盘旋的河,村落里出了多少状元,村落的格局如何如何。每次他跟我说起这些,我就很认真地听上两句,越说越深奥时,我就扛不住了,蹦蹦跳跳拿着相机四处拍照了。

我爸叫了两个家族的兄弟一起到了村落里,去的村落离郴州不过几十公里,从进山开始也只花了半个小时,山路左环右绕,青葱怡人,再转一个弯,景色变幻大有不同。

我妈把车窗打开,说:“这里空气好,赶紧吸几口,北京哪有这么好的空气。”

我妈不知道从什么时候开始,很喜欢让我占便宜,各种各样的便宜都让我占,一切都是因为平时我没有时间,而现在有了,赶紧赶紧捎上点。以前我会觉得我妈特无聊,现在我想,如果我是她,我可能会让我的儿子把土都挖一些带回北京去养植物。

前段时间看完关于自闭症小孩的纪录片《远山远处》,我在想,如果我有一个自闭症小孩，我是否能够为他颠覆自己既定的思维，像纪录片里的父母带着小孩去了蒙古，求助他们都不了解的萨满巫术。孩子的父母为了治愈儿子的自闭症而被萨满法师用鞭子抽打得浑身是伤，他们不明白这样做的意义，但是仍然忍了下来，一声不吭。我不敢肯定我会这样做，但是我肯定如果我有自闭症，我父母会这么做。

坐在车上，更是这样想。

表弟背着电箱在小河里捕鱼的时候，爸爸提着桶在旁边拾。他说他小时候就常常这么干，还说以前有人电太足，失手把自己电死了。他说的时候，再也不像以前那样，说到什么就希望我记住，于是扭过头来看着我说。比如以前上山采草药，他会凑近我，给我看各种植物的脉络，说它们都有什么用，我什么都记不住。而现在，他自顾自地说着。反而，他说的每一句我都记下来了。

他教我扯什么样的笋，教我怎样把外表的皮给剥下去而不伤手。

我已经29岁了。走在爸爸后面，爸爸专注地看着河里被电击晕而漂浮上来的鱼，指挥表弟去捕捞。我对爸爸说：我来背电箱吧。他说：这个很重，你背得动？我直接就从表弟身上取了下来，背了一路。

我把电捕鱼的事情发到了微博上，好多朋友问我是什么感觉，只听说过，没自己捕过。我就很得意地说起来。

回到北京，翻阅着这些照片，心生感触。我爸也快60岁了，50多年中，他走过很多路，看过很多风景，体验过很多生活。我这近30年的生命，每一年每一月每一日都充斥着他双眼看过的一切。

我身体里流淌着他的血液。

他在我身后扶着教会了我骑单车。

他托着我教会了我游泳。

他给我传球教我三步跨栏。

然后告诉我牙疼应该买甲硝锉，同学生了病说症状他就给我们开药方。

带我去打猎，看原始地貌，陪我去漂流。

告诉我如何看风水，带我去饭店的厨房看大师父做菜。

给我做陀螺、简易滑板，也教我玩牌时如何算牌（哪怕他自己技术也挺一般）。

做手术时让我换上无菌衣踩在凳子上看他在无影灯下忙碌，现在他还教我怎样用电捕鱼，拔笋。

他给了我整个人生还不足够，他还不停告诉我如何思考如何进步如何实现自己的价值，然后，他分享了每一种他学会的技能，他曾经因此而获得快乐的每种体验。

如果我是我爸，我能做到他的一半吗？

今天采访的张洪杰老师说：我老伴儿有脑血栓，我常常逗她，说我下辈子躲起来，不让你找到。她就慢慢地喘着气说，躲起来我也把你找到。我希望下辈子我们还要做夫妻。

而林坤看着李小婉说：不知道是不是圣斗士看多了，我一直觉得我妈是雅典娜，而我是星矢，我会一直在她的身边守护她。

每个人都很幸福地生活着，我觉得我幸福的原因是，我终于完完全全体会到了和他们待在一起的快乐，尤其是当我爸看到我也喜欢捕鱼，而我妈看到我帮她拔笋的时候。

我真是一个好儿子。 2012 年 6 月 29 日

他真是一个好爸爸。 2012 年 10 月 10 日

你别走到一半，就不走了

我的星座是双鱼座。

年轻的时候会不喜欢承认自己的星座，不知从什么时候开始，这个星座又成为了我愿意常常提起的词。是啊，善良，容易相信任何人。细腻，察觉到一切对自己不好的因素，还要装作无所顾忌。坦然面对所有事情，明明心里难过得要死，还要死撑着安慰别人说没关系。

人和人之间，总是以相同点而结缘。相同的年份，相同的区域，相同的熟人，相同的爱好，若是再好，还有相同的藏书，热爱过同一首歌曲，追过同一名歌星。

因为经历过不同的人，说过很多不一样的话，要让两个完全不了解的人接受彼此，必须花长时间去交往，一点一点试探且共同经历，才有可能达成某些方面的一致性。因为有了一致性，才有好友这一称谓。

所以当我们遇见，稍微有一些与自己类似的人，便激动得不能自已。因为你不用再去解释当初看那本书时为何泪流满面，因为对方和你一个手势便能知根知底。你也不用在 MSN 上强调：对不起，我不喜欢刚才你的那个语气助词。然后对方还觉得你特矫情，特无理取闹，特小肚鸡肠，特莫名其妙。

连一个“哦”的用法都能够说上个一二三四五六七的相同感受来，你不禁撑着头在电脑这头沉重了起来。

我喜欢酒吧的你们是因为大家对人特豪气，说一不二。我们都冲动，都意气用事，都以认识彼此而觉得人生特带劲。我喜欢阳光般的你们是因为大家内心都有一块不被触碰的禁地，只是对彼此开放。我喜欢比我年长的你们，是因为你们常常告诫我很多你们经过多年才得出的结论，你们说得出我犯过的每一个错误，同样也能告诉我我的每一个优点。我喜欢我的父母，是因为我每次和他们理论，他们都会安静地听我说，然后默认我的态度。我也喜欢和我一起共事的你们，因为你们常常让我觉得生活很美好，皆因我们相信正确公平且善良的方向。

我们皆在奋斗，我们沉迷每一次的集体聚会，芭提雅的一前一后沙滩上的脚印，湖南环水小岛上月光下的谈心，大排档的喧闹，临街边的加班晚餐。只因为有同样的你们在一起分享和继续。

可人越是成长，越是担心这样的关系会猛然断裂。

曾经死铁的关系决裂了，我问过自己：如果我们是亲人的话，是不是还有恢复的可能性。答案是肯定的，可惜，我们并不是亲人，所以没有先天的保护。哪怕几十年后，我们终于有一天认识到自己的错误，因为亲人的身份，我们可以低下头，可没有，于是再要好的关系也只能选择下辈子再见。

所以之后，变着法子把自己认为要好的关系都变成亲人。我有无尽的底线，我有超级好的脾气，我可以忍受一些不满，只因，我一直把你当作亲人，所以请不要浪费这种信任。

朋友说：我们都是独生子女，比别人更渴求有从小生活在一起的兄弟姐妹，只是谁又真正了解兄弟姐妹之间的关系呢？他们的关系真的如我们所想的那样和谐？那样无私？那样亲近么？无非是一座围城。

所谓良缘是两情相悦，如有金玉为伴，才算得上是锦上添花。

所谓朋友是机缘相识，若有无尽相似，才算得上是血浓于水。

把每一个朋友都当作可以成为血浓于水的亲人去交往才是真正目的。有时，你们花了十年时间共同成长，蓦然发现，那个被你称之为极像亲人的人却早已站在前方等你，第一句话便是：怎么才来？我已经在这里等了你十年。

这一年，认识了一个很重要的朋友。我们称彼此为镜子。他总是让我反省自己,然后总结:他才是一个很靠谱的双鱼座。一晃两年就走完了，我们总是一致。在很多年之前，也许我也想成为他那样的人吧，就算是站近了看，他也透明得没有折射。我总是说，轻松一点轻松一点，后来发现，我们在一起时，他才是旁若无人的轻松。

真正的好朋友就是一个灵魂活在两具肉体中。

2012年7月31日

“大家加油！”

2004年的今天，我带了一只皮箱到北京，心无挂碍。最不济最不济，我再回去，回到生活了18年的那个城市。

6年后的今天，我看着73平米满屋的东西，满心悲怆。6年的时间，经历了种种人际的混战，朋友的伤害，或用身体死扛或被他人中伤，我终于建立起了自己的堡垒。

今天在化妆间有人说：他们说你昨天说……他们说你提意见说……砍头砍尾的说法，换作我以前早就理论了，现在我可以完全把这当成一个笑话。

以前去解释，去理论，是怕。怕自己得罪人，怕自己被人灭了，怕那些无聊的小感受。

现在不去解释，不去理论，还是怕。怕浪费自己的时间，怕自己模糊了焦点，怕影响了品尝现世生活的胃口。

6年，变了一些，也什么都没变。

一只皮箱滋长成了一片小的热带森林。

一位少年成了一个死皮赖脸的伪中年。

以前每天按时更新博客。

如今每周按时更新博客。

以前每天幻想未来的生活。

如今每天回想过去的每一天。

以前，很难交到一个真心的朋友。

现在，真心地去交每一个值得交往的朋友。

以前，要说很多话才能试探继续再次相约。

如今，说对一句话就能闷头喝下一整瓶酒。

以前，认为自己什么都不打扮还挺帅的。

现在，认为自己打扮打扮还挺帅的。

3 年前，几个年轻的化妆师跟着他们的老大，做节目的化妆助理。

今天，那几个出去摸爬滚打的年轻的化妆师终又回来正式接手整个光线的造型和化妆。

看着一群熟悉 80 后的人挤在化妆间忙碌，楼下 100 家媒体等着郭富城，等着舒淇，等着张静初，等着吴京邹兆龙陈木胜。小璐拿着对讲机说:《全城戒备》媒体见面会还有 1 分钟开始，大家加油！

无论再过多少年，我都会喜欢那种“大家加油！”的口号。

下午在公司开会，偌大的会议室里挤满了两百号人。月底公司会进行创意大典，这是公司每两年进行的一次头脑风暴。作为公司最重要部门之一的电视资讯事业部当然不能输。我和丁丁张进行了十分钟的动员，然后对大家说：大家加油！所有人谈笑着走出会议室，感觉真好。

2012 年 10 月 11 日

把每一秒当成一辈子来过

你的 ipod 放在我这里已经两年。

从未碰过。

偶然翻出来，想起当初你交代我要拿去修理，把弄之间，发现机器里仍有电量。耳塞的部分是不行了，听不到音乐，当时你也是这么说，所以把你的 iPod 交给了我。

划过目录，很多曲目我没听过，那是你每日必听的歌曲吧，我想。

我拿出专属音响，把它的底座插在了上面。

Jim Brickman（金·布莱克曼），我没听过，他的音乐之后，是陈奕迅的《无人之境》。两首曲子连在一起，莫名的好听。这样的搭配在我的世界里是从未出现过的。

后来，就这么着，一直听着你的音乐，脑海里也就慢慢浮现出我所不了解的你，在什么样的情况下才会听那么安静的音乐，在什么情况下才会听那么伤感的乐曲。

你问我了解你吗？如果是以前，我会说了解。

你的性格，脾气，习惯的思维方式，失落时去的地方，我过生日你会送的礼物，我不用思考也知道答案。

可是当我听了你的音乐之后，你再问我这个问题，我会愣一下，之后回答：或许不。

这个我从未了解过的你的真实的世界，这才是完整独一无二的你。我所了解的那个你，只是面对我才有那样的思维，那样的反应，那样的节奏和表情。我所了解的只是应付着我的那个你，而不是真正的你。

瞬间，我突然明白。很多人无论过了多少年，遇见旧知己，还会不屑地说：反正你是一个怎样的人，你当年……之类的话。

其实这些话现在看来一点意义都没有。我一旦离开你，当下的我就不是你以为的那个我了。因为当时我在乎你，我才显得那么卑微，那么敏感，那么热切期盼。可一旦失去那种在乎，你是谁都与我无关，当初我的种种其实都是泡影，也是虚幻，更是烟火。不必一直记在心里，假设成为我人生的结局，那样终究对你不好。我比你想象中的总是会更精彩。

昨晚和大家一起看了《离爱》大结局的粗剪版，哭了三遭。最后番茄从过去寄向未来的信写着：相爱太短，而遗忘太长。生命太短，而思念太长。牵手太短，而行走太长。相拥太短，而冷却太长。亲吻太短，而回味太长。相遇太短，而守候太长。

生命若总是存在那样的悖论，我们就把每一秒当成一辈子来过。

现在看来，很多人包括自己就是那样，好起来时，温顺得不行，翻脸时，完全成为另外一个人。以前的人是逐渐变化，好歹有个变。现在的人是直接死机，连个招呼也不打。其实我也知道，越是翻脸不认人的人，越是重感情的人，因为控制不了重逢的想念，所以不如抑制涌起的杂念。越是能过渡平和，谈笑如昨的人，你在他们的心中也不过是个过客。你们就恨我吧，谢谢你们还记得我。

2012 年 10 月 11 日

仇人让我活得更带劲

有时候会想，为什么我的某个朋友会和另外的某个朋友是仇人呢？或者也会想为什么我的那个朋友会和我的仇人做朋友呢？

我也很明白，在即将30岁的我心胸里居然还有仇人这个概念，简直就是幼稚到家了。别说谁会问我这个问题，那些但凡以为自己是个伟人的人都会这么说。

他们维持着这个世界的和平，他们活得一尘不染像仙女下凡，他们是人类标杆，是人生灯塔，是进步的春药。

装x的人是不会明白仇人这个概念的。其实我又是多喜欢仇人这个概念。因为有了仇人，我才会有前进的动力。觉得一定要比仇人生活得更好，才有意义。对我而言，仇人才是标杆，仇人才是灯塔，仇人才是春药，仇人就是我的心肝我的命。没有仇人，每天的生活索然无味，天下太平，总得生出点什么事儿来才行。

仇人其实也未必是仇人。“以人为镜，可以明得失”里的这个“人”，多半是仇人。以对方为镜，自己得到了，对方必定失去了很多。如果对方得到了，自己失去了，两个人的关系必定不怎么好。总之，两个人肯定不是朋友了。

其实等再过几年，那些仇人又都成为了朋友，再谈起以前的那些看不惯，必然也会哑然失笑。

最近给张爸发了短信，他从来不回。自从他和老婆回到了福建生孩子就没了音讯。

记得他刚来管节目部的时候，我和晓曦哥商量不能和他合作，因为他挤走了时任老大的祖老师。于是每次开会都不发言，下达指令也不执行，想起来啊，幼稚死了。即使是这样的做派，也没阻止后来他和大家情同父子家人的关系。

总之，每个阶段我都是需要一两个仇人的，活起来才带劲。

年轻的时候，总把人生过得像电视剧，每集都想有一两个高潮，最后都以自己获胜而结尾。起码，现在看起来，前段时间的我是过得热血饱满，全当人生有镜头在拍摄似的。现在的我似乎又在印证另一个事实——人生不用非得找到竞争对手，只要你做好了自己，突破了自己，打败了你以为的那个自己，你就不可能还有对手。一个打败了自己的人，怎么可能会输给别人。

突然想到了周伯通的左右互搏，然后心里发出一声：哦。

2012 年 10 月 11 日

究竟哪个举动会破坏一切

两颗来自不同空间的石子，在特定的时候，撞击在了一起，起了火花，随即燃烧殆尽。

我在听无印良品。

我想起第一次去长沙的高速路上，外面飘着阴雨。随身听里放的就是他们《三人行》的卡带。A 面 B 面 A 面 B 面再 A 面 B 面，来回多少次我也记不清了。只是沉浸在那种氛围里，解读着自己的情绪。

后来抬起头，仿佛是从水里扬起了头，大口大口喘着粗气，湿漉漉的狼狈还是记在心头，很难忘记。

纵使经过了一些日子，我还是记得那些失去了一些色彩的回忆。

那时我不懂王尔德说的：我花了一个上午的时间去掉一个逗号，到了下午的时候我又把它放了回去。

现在我懂了。

我花了几年的时间和你隔岸观望，只为了今天与共唱一首歌曲，喝上一杯星巴克而已。

我从不觉得自己好笑，反而觉得特好。一个多么有生活情趣的人，才能做出这样的事情，还并不因此而懊恼。

去你住的城市，经过你就读的校园，结识你的好友，希望从中得到一些你脑子里的类似，读懂你思想的轨迹。即使，最后一切找不到落点，也可以从容对自己一笑，原来我也可以这样子。

无印良品那时开的演唱会，李宗盛周华健大哥们都坐在台上，那是一个很美好的场面。以至于现在看到品冠参与一些可有可无的通告，光良做着几首一二三线城市都懂得的曲子，我又拿出无印良品，想证明从前。

所有的感情都是谨小而慎微。任何一个举动都会改变一切。

可喜的是，我们都知道这一点，所以我们都变得很谨慎。

可悲的是，我们谁都不知道究竟是哪个举动会破坏一切。

至今，我所有的视频设备里，仍留着十几首无印良品的歌。那句话是对的，我们留住一些什么，只是想证明从前。几首重复的歌，几条没删的短信，几页泛黄的信纸，活在过去的岁月里，早已经没有了生命，却能证明从前。

2012年10月11日

一切皆浮云

在视频里看见王菲唱“彼岸花”时舞台上的视频，猛地就不知所以然了。

我这样的人，恐怕无论过了多少年，心智还是这般不健全。有人在微博上问：为什么你总是喜欢拍秋微姐马屁？

我回复：关你屁事。

另外的人问：为什么要问他这个问题。

那人说：他那么喜欢拍马屁，肯定也喜欢拍他自己老板的马屁吧。

对此，我仍然想说：关你屁事。

“关你屁事”实在是一句很解气的话，百毒不侵，无欲无求。

近期，我每天都在反省过去的一天，期盼未来的一天，纠结自己一整天。

想躺着，什么都不做，看着天花板，想象着置身于海底，感受水波的流动，阳光随着呼吸渐明渐弱。反正，不管怎么样，世界都有云开雾散那一天，或者干脆就都消失了也行。

后来发现，王菲的歌还真不能多听。听多了挺想什么都不要了。觉得一定还有另外一个世界，是可以清醒地睡觉，可以躺着行走，可以用思维控制的世界。她的声音也太唯心了一点。

“暧昧两个字，从字面分析，都是想日。不过一个假装有爱，一个假装有未来。”后来，他们就都不暧昧了，公开了表白了，然后围观者聚拢了，之后又传出她的婚期被婆婆叫停，一个人在航班上痛哭。

其实两个人要在一起，外力都是毫无作用的。因为要在一起的最终是两个人,最后如果真是崩塌了,也顶多是外力给了一点暗示,推倒壁垒的依然是自己。

两个人要明确地表示互相爱慕是一件很难的事情，互相角逐，相互挤兑，谁都有比谁更骄傲的过往，出水芙蓉硬要把自己形容成花团锦簇，青翠欲滴却把自己打造成繁花似锦。嘘，我们暂停，不要因为猜忌，不信任而浪费了这样一段美好。

有时候别人说爱情其实是最奢侈的东西。和友情、亲情不同，争吵都只是暂时的，而爱情一旦出现裂痕，然后毁灭，就什么都没有了，曾经枕边那么亲近的两个人转眼就形同陌路了。

微博上很热闹，各色人等的消息来来去去。贾乃亮说：李小璐是我的女朋友，为了她我会更努力工作的。这等表白还未冒头就被淹没在了形形色色的人际纷争中。

最后，明白了一件事情。比起获得更多优秀精英的认可，更多优质客户的肯定，和团队中的人彼此明白彼此理解显得更为重要。很多焦躁焦虑不确定，你以为是你没有获得更多人的认可，其实是你没有打下坚实的根基而造成。

好了，洗洗睡吧，看看我们闷骚的样子，其实生活有时是很有趣的。

修养是怎么来的？就是在面对一切挑衅又压抑住自己爆发的念头，然后开导自己得来的。这简直就是一套万能的公式，无论发生什么事，第一念头一定是抑制爆发，然后安慰自己吧，你总能找到一个出口的，光明且温暖。之后再遇见同样的事情时，你已不用再故作克制了，笑一笑，对方就败了。

2012 年 10 月 11 日

过程是风景，结果是明信片

他们喝82年的酒，是因为他们又想起了82年的那些事。无论世事如何过去，红酒带着它的香气凝固住了时间，微醺，是一个很妙的词——他说。

上了三层锈迹斑斑的铁梯，推开一扇皮质包裹起来的紧闭的门，再上两级阶梯，人和人挤在一起，在吧台特制的光源下，每个人手中的酒杯成为唯一的指引。

一次午夜的聚会，有人喝了几杯仍保持着底限的清醒，有人小酌几口仍当作出席一次公关的交往，也有人从陌生到热烈，拥挤中不堪地落下了一地尴尬。

后来就不知怎么讨论到了人生。

然后在忘记时间的过程里，他说诱惑、威胁、绝望是组成世界的三要素，说新陈代谢是指引人前进唯一的动力。还说了很多，那些因为酒精而蒸发出来的脑子里的独特味道。

躺在高脚椅上，打量这个被称为王家卫的酒吧。不同年份的酒精被蒙上不同的色彩封闭在了不同的酒瓶中。后来起了一些争执，他说：喝下去的是时间，蒸发出来的是故事，沉睡过去的是背叛，唯一记得的是眼神。

于是我突然想起当年听《过眼云烟》的自己。

许多年过去了，渐渐学会，随性而行，尊重内心，获得慰藉，仿若新生。

某个听师父讲经的晚上，我有些不耐烦地说：为什么，你们说的那些我都不太明白，既然你已知道这个世界是由形形色色的公式构成，何苦浪费那么多时间再去一一解释公式。而我，只用自己的公式去解构一切。

他说：所有的信仰，最终都是信仰内心的那个佛。那是另一个你。

所以我很喜欢最近看到的一句话，“我的精神分裂症已经好了，我和我都挺好的。”

我和我都挺好的。

找到并控制，交流并沟通，找到你生命的另外一个你，独立于你主观世界的另一个客观的你。那才是你的宗教和你的信仰。

“人们怀有某种崇高而单纯的思想，这使他们皈依同一种宗教。造成诸教派区别的总是某种基本的添加物。各种思想越过了时代鸿沟，以毫无偏差的共济会礼仪互相致敬。”或许某种崇高而单纯的思想便是另一个真我。

简而言之，如果你连自己都认识不清楚，控制不了自己的情绪，把握不住自己的行为，发挥不出自己的隐忍，反而抱手于胸，聊着某个你并不了解和熟知的人，在上帝看来，多少会觉得有些好笑吧。嗯，确实好笑。

你说其实我也不过如此。

那是因为我们都不过如此，所以才一直向往着那个方向不停追逐，太阳在前方，是隔着远远接受恩泽，还是像秃鹫一样迎着太阳飞，身体融化在太阳光里，世间都找不到任何它们的尸体。

写到这里很想和你分享一首歌，“一切只是过程，一切都是过程。离开世界之前，一切都是过程。这一切过程，我们曾经爱或恨，那些以为是结果，其实是每一站，每过一站，不断开始着每一段。每一晚，每个抉择没选的每一半，都在疑问你有没有遗憾。你没有看过的陌生的脸，更热或更冷的水，更软或更狠的嘴，更深刻的，怎么体会？谁的眼神最深邃？怎么体会？哪种笑容最珍贵？最忘不了？什么事实你最放不掉？忘不了的黑暗，忘不了的光，忘不了的安心，忘不了的慌。正经历的人们呐，那都是过程。我们把希望寄托在道路城市，精神寄托电影音乐文字，人们记录着他们说的真实。如此，你只知道结局的故事。写下结果，因为人们爱追溯省略过程，每个看过的你，每个散落的你，都被一一捕捉在底片。于是过程是风景，结果是明信片。”——蛋堡《过程》

你看，如果我们这样继续人生，人生大抵也就只能如此反复，甚至还不如被写成歌词来得精彩了。我们可以把公式写在纸上，把排名写在纸上，把经验写在纸上，把自以为是写在纸上，把纸做成孔明灯，然后把它点掉。仰头，看它们如何飞走，谁捡到就是谁的，反正和我们无关了。

而我们已然失去脑核的两个人，便可以在这个世界上横行霸道了。嗯，老霸道了……

有句话很作，但是我很喜欢。可以算作今天日志的结尾：我喜欢仪式开始前寂静的教堂，甚于喜欢任何布道。

直到今日，我仍喜欢偶尔在平静叙述之后，加上自己的肯定。无法四处获取他人的赞许，只能变着法子让自己支持自己。以至于在看过去文字的时候，我常常会冒出一个略微稳重的男孩抚摸略微顽劣男孩额头的画面，然后前者总能用他的方法搞定后者。那是一直存在于我成长中的画面，只有等到这个人变得稳重之后，这两个男孩才会成为一个人。但我想，那一天也许永远都不会来。

2012 年 3 月 22 日

了解自己才会有好人缘

想起那些一个人的日子。用电脑写了很多字，问了自己很多问题，然后一点一点书写，慢慢地整理出头绪。不停地发出，哦，原来我是一个这样的人。

我曾经发现我太好面子，我曾经发现我太怕失去某个人，我曾经发现我过着过于仰人鼻息的生活，我曾经发现自己原来很势力，我曾经也发现自己长得真的很难看，自己真不是那种可以走掉书袋路线的人，我曾发现我真的喜欢耍点小聪明，我发现我曾经滥用以及透支亲人们对我的信任。

正如后来我也发现其实我挺顽强的，我发现其实没有什么事情可以为难自己，我发现原来自己豁出去也可以那么的不要脸，我也发现其实我是有一点诚信的，我发现慢慢的原来自己也有一点点口碑。

过去，计较任何人背后对我的非议。现在，你指着我鼻子骂我我也可以脸带笑意。

有朋友说：为什么，你现在可以变那么多？谁帮了你吗？

是的，很多很多人帮助过我。

可最重要的那个人是刘同。

我们总是在乎自己在别人眼里的形象，急着去了解只见过两三面的陌生人，私下去八卦和自己没什么联系的人。可这些人中，连自己都不怎么了解，反而急着去了解别人。

所幸的是，在我过去的几年中，我常常处于独自的孤独中。于是我最好的朋友只有自己，睡前的写作，闭眼前的回想，一天又一天让自己渐渐看到了自己的虚荣自己的自私自己的缺点自己种种不为人知的隐私和恶念。每次我很难过地接受“原来我真不好看”“原来我真不是什么文化人”“原来我真没什么资本”“原来有时我真是娘得要死”这些结论的时候，我的心情 down 到谷底。别人骂你，你还能反驳，自己骂自己，连反驳的机会都没有，只能接受。

可也正是这样，某一天开始，我突然觉得自己不那么在乎别人的说法了。因为，我是一个什么样的人，我比任何人都清楚，我多好，多差，早在你们发现之前，我基本就发现了。所以我不会再患得患失于旁人对我的指责，而是迅速改进，迅速纠正，迅速弥补。

人成长的过程中，最大的难题并不是朋友对自己的误读，而是我们死活不愿意承认朋友口中的那个自己。朋友眼中的那个你，和你眼中的自己并不重合，这个才是阻碍我们变得更好的重要原因。

所以，我身边亲爱的你们，多花一些时间在了解自己身上，少花一些时间在应付他人身上。因为最后，能够给你提供最有利帮助的人，除了你自己，没有别人。

如果说高三考入湖南师范大学有了方向是我人生第一次升华，进入电视行业有了具体目标是第二次，那么这一篇日志的完成，意味着那时的自己大概已经知道自己是谁，已然升华到了人生第三阶段。临近 30 岁才大概明白自己是谁，真是一件辛苦又值得欣慰的事。

虽然这些观点并不是完全适用于每个人，虽然即使有了这些观点，我仍然会偶尔生气，但对我而言最好的作用在于——即使你不想抗争了，这些全是你说服自己的退路。

2012 年 10 月 11 日

你错过的，别人才会得到。
正如你得到的都是别人错过的。

coop

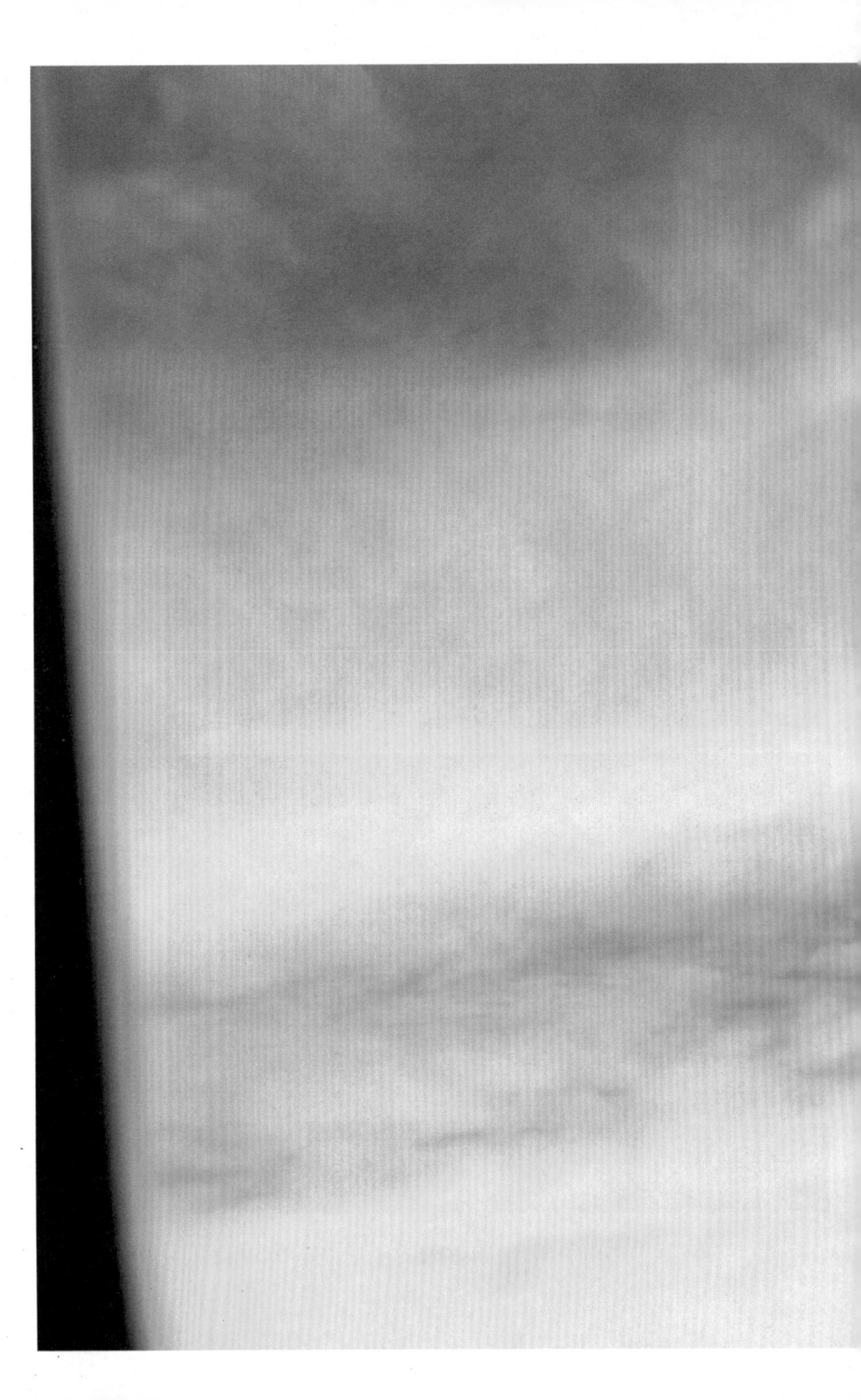

如何活出一个真实、让你觉得舒服的自己，
才是最重要和舒服的事。

2011

2011 年，我 30 岁，那时的我认为 ：

以前，很难交到一个真心的朋友。
现在，真心地去交每一个值得交往的朋友。

相对于我们的选择，一切的结果都显得无关紧要了。
选择的感受，远远超过获得时的兴奋。

在生活的每一个瞬间。我们都是我们想要成为的人，而不是曾经成为过的人。所以，我便及时地把所有当下的幸福打上一个又一个的标签，以便于为某天的沉沦做着准备。那时，陷入苦海之中，双手在海面上挣扎，随手一根稻草一个标签就是救命的偈语。

任何爱情都是一盘棋局，总有一个结束，再来一盘开始。我不能保证这盘棋能下一辈子，我只能尽量让这盘棋走出一个和局，让我们彼此有一个好的 ending。那样，我们都了无遗憾。

就当人生又多走了几步

天空蓝得真是不像话，就像一年又一年的光景。

今年我步入 30 岁。

我很多年都在试图摆脱“你浮躁不稳重太闹腾”的评价。

我怕直到我摆脱不动了，我才明白，我就是这样一个人。所以我存了一些网址，随手就可以点开，曾经的自己也是这样拿着鼠标，一点一点看，一点一点感受。

比如阿三木君，也就是 Sam 的博客。比如 223 的博客。后来 223 转型成功，文章里的感情渐渐变成了我越来越不懂的，我就看他之前的文字。后来他的博客也搬家了，可我的链接依然不会更换。

你看，当年我们都对博客那么热爱，任谁都放弃不了的样子。坦白讲，上两个月我也在考虑是不是要更换博客的事情。

结论是不要。

我是一个活得爱憎分明的人。别人对我的爱恨亦是。

热烈又明晰。凛冽而动人。

幸好我有一个师父陪着我一起更新着文字，拍摄着照片。纯当家用。并无他用。

我认识的那个小伙子，以前说话很娘，动不动就流泪，后来一个人外地闯荡变得很阳光，利落的言谈和发型，我们在外滩3号长谈，回忆过往，看霓虹从火红到黯淡，专程走路到百乐门，也去霞飞路拍过照片。后来，他穿得红红绿绿，剪了蘑菇头，笑起来的脸上开始有了岁月。再后来，他又阳光了起来。

一个轮回的时间，才能找到自己。又或者，我们一直在轮回中寻找自己。

我其实并不惧怕所谓的失败，所谓的成功，我只惧怕当我想干某一件事情的时候，已然没有了激情。也许这种激情的背后，是所谓“成功”的推动。

秋微姐去年在电话里和我吵了4个小时，一边吵一边哭。

你看，现在还有谁能这样无休止不挂电话地吵上那么久的时间。现在连道声晚安都觉得麻烦呢。

昨天跨年，我们一群人过了12点，早早就回到家里，倒头就睡。把答应杭州酒舵要学会《潇洒小姐》这一码子事又抛诸脑后了。

我记得有一天，我们在大排档吃海鲜，从晚上一直吃到天明。我们几个人搀扶着回到酒店。已然很久没有吹过那么亲切伴随着光芒的风了。

这张照片是在轮船上拍的，如果要上岛的话，就必须从船上下来游过去。后来我就游了过去。远远地走了一圈，就当人生又多走了几步而已。

往事借过

好的食物一旦变得很好吃，就希望能很方便地吃到它，然后果不其然慢慢有了连锁。倒是方便了很多，可是真正好吃的还是第一家，其他地方的连锁店都是只能充饥而不能止馋。

你爱上某个地方的那个人，分开后，你仍想在别人身上找到这个人的影子，于是你仍不自觉地靠近那个地方的人。听对方说一样的风土和人情，看对方的小表情，一样的乡音，但这个人始终不再是那个人。直到你又因为机缘巧合换了另一方风土人情的谈情对象，你又觉得那也不错了。

常常听到的话是“我第几个朋友是湖南的”“我上一任就是湖南的”“湖南人都挺像的”，你倒不会觉得对方是在赞美自己，而是觉得湖南人还真他妈喜欢到处招惹是非。

总之，这种连锁的效应倒是节约了时间提高了效率，可终究我不是那个我，他也不是那个他，最终还是要作罢。

和朋友们一起做了一次长途旅行，觉得再去别的地方就没意思了，宁愿每年去一样的街道，看一样的酒吧，一样的服务生，一样的景象。

各色人等牵着当地的姑娘行走，语言不通，笑容一样，阳光耀眼，汗水浇灌出床头不知名的热带植物，散发暗香。

闭关三天，被朋友狠狠表扬了一顿。

心里高兴，就像是重新拾回了写作的态度。这些年努力学着做自己，而现在我已然能写出一手自我的文字，实在觉得可喜。

总之，每个人最后都能找到自己轮回的时间。

从看不透世事到自以为是，再到懵懂无知。

“只道是往事借过，草率无知懵懂，也不算滔天的错，虽然我，眼泪滚烫如火，恨不能时光倒流。”

在某个小镇上拍了一些照片，人烟罕至，只有游客。当时，那条街就像是属于我们这几个年轻的孩儿们的。哈哈哈。

时光没有影子，涨水一样，缓缓漫过每个人的身体。感觉到的凉意是某种回忆，感觉到的麻木是某种遗忘。

现在一个人待着的时候，我仍会听林志炫，往事借过，无需歉意。

2012年10月11日

让别人为冲动买单

很多人应该就是被捧杀的。

而我也曾不知不觉中参与了捧杀的围剿。

后来，那些我喜欢的人中，真正一直出现在视野里的，不是折了，就是闪了，当然还有人被遗忘了，那些签名的照片舍不得扔，干脆扔在旮旯犄角，连着结构一并尘封了。

我听顺子的《sunrises》，光线透过缝隙一点一点挤进心里，微尘轻浮，脸上被阴影与日光分割出明显的区域。仰起头，幼时的自己可曾预知今日的自己？

我其实是很佩服自己的。很多很多年以前，我就告诉过自己：记住当下发生的一切。温度，色彩，声线，心情。交织在一起，想想5年后再回想这一切该是何种心情。

于是我的记忆常常随风潜入夜，润物细无声地化开去。一个人的空间是如此悠闲与自得其乐。

心里一直住着几个人，不常去碰，敏感的东西碰多了就无趣了。远远地看着，欣赏着，自以为是地幻想着。我是我的电影里的主角，如果你愿意配合，那我也算你一个。如果你不愿意，编剧也是我，把你写死得了。

大三的时候，我爱死了纳兰的词。

当然也有以往不懂的部分，念到“近来怕说当年事，结遍兰襟。月浅灯深，梦里云归何处寻”时，愣了一秒，便不给自己琢磨的时间了，对“明月多情应笑我，笑我如今。辜负春心，独自闲行独自吟”这种矫情的意境充满了期待。

刚进湖南台的我此时还在纠结着“谁比谁更强，我该怎么办？”“如何让领导更喜欢我？”“不能太聪明，不然会被排挤。”“可怜自己是个打工仔，何时也能当老板？”现在呢？以为过了好多年之后一切看透了，不再为此纠结。其实，多年之后，还在为此纠结着，只是貌似更深了，貌似更复杂了，其实还是为了两个字——活着，于是变得能坦然接受了。以前所有的“不喜欢”，换了一张脸谱戴在脸上，变成了“能接受”。谁说自己不喜欢的就是错的呢？当自己变得越来越能接受时，反而会嘲笑过去的“很幼稚”。

我也常常好心办坏事，也常常因为小成就而嚣张到被人记上个三五年难以翻身，后来也看淡了。看淡了不意味着我就可以我行我素了，就改变自己了。看淡了就意味着，我仍是我，只是尽可能表现出来的是更多人可以理解和接受的我。

我也常为了爽而思考一秒钟便撂下一句狠话，恩断义绝。

现在还是会这样，只是在做这些之前，我会再花30分钟细细与对方分析和解释。然后一切和解之后，再说：本来我就打算如果你听不懂的话，就恩断义绝吧。结果是：我也爽了，对方也明白了，以后再也不会犯了。

以前我常常为自己的冲动买单，现在这个单我尽可能让别人来买。

春天，总是一个适合与自己对话的季节。想到现在，我一个人坐在办公室里，等着审片。

又再过3年，此时的我，又会在做些什么呢？

在一次一次被迎面而来的拳法击倒后，我总算学会了凝固静视然后躲闪。其实到后期，再遇见迎面而来的拳，你也懒得躲了，对你而言，那种痛根本已经不是当时那种撕心裂肺的感觉了。成长有一瞬间给我的感觉就是——并不是学会了避开危险，而是学会了不怕疼痛。

2012年10月11日

残缺之前，找到自己美的地方

凌晨四五点钟的风，可以闻到太阳升起前的味道，带着一点儿凉意。

街边的便利店明亮的招牌，店内放着异国的歌曲，收银员看着过期的周刊和报纸。

几个年轻人提着啤酒瓶，一步深一步浅踏碎休息的时光，显得格外漫不经心。

我想，我至少会怀念这个场景。

果不其然，一个人的周末晚上，我看着手机里随意拍的印象，又想来两三瓶啤酒，走在陌生城市的街头了。

去别人活腻味的城市，看别人活腻的表情，体会活腻的规矩，眼前是顺理成章的滚滚洪流，信任地纵身跳入，被水流冲着行进，他们都不陌生，你也随波逐流，瞬间成为了当地人。

“你除了需要保养的乳液，我好想推荐你灵魂的收敛水，用我采集的旋律来调配，它把烦闷给销毁。清洁饱水镇定纾缓，不含酒精也和化学无关，原料用得简单，香味是天然的恬淡你会喜欢，装在透明喷砂的玻璃罐，细看这牌子写着‘soft lipa’”。

蛋堡的歌曲，在耳塞里荡过来又荡过去。泡沫渐多，情绪缓和。

紧绷了做人，偶尔学会去放松。

不再期待接到专栏，会告诉自己总算可以不要斤斤计较地做人。

不再逼自己每天必须写一篇日志，会告诉自己何苦要和自己过不去。

不想写小说的时候就干脆不写，会告诉自己，跑得太狠了，质量早就没了。

以前觉得给自己找理由总是不太好，现在不会了。

Boya 曾说：喔，同，你是一个不会无聊的人。你无聊发呆的时间都在听着最新的专辑，想着如何评价如何推荐如何做节目如何配文字。

可是，人不就需要无时无刻把一切入眼入耳入脑的东西整理分类到各种文件夹么？

需要的时候，直接抽出来说：我曾经在什么时候什么地点看见过这样一件事……

我曾经还知道：脑子里一切的东西，在没有分门别类之前，全是垃圾。

只是到了今天，突然觉得，很多门类不是我擅长的，说出来自己不信，写出来别人不信，可却因为这些，我在脑子里打了五六个书柜，看见它们我就头疼，恨不得焚书坑儒时把我一并给坑了。

于是才知道，所谓的门类不是越来越多，应该是越来越深。

于是才知道，你表现的也不应该是种类齐全，而应该是单品获胜。

于是才知道，沃尔玛被阿尔迪打败，原因很多，重要的一个是——后者商品的种类单一。

所以索性放开你自己，你可以残缺，可以无赖，可以小心眼，可以无聊，可以有一切的弱点，但是美起来的时候，你会美，知道如何更美就够了。“残缺美”这个词，重点不是残缺，而是美。

所以残缺就残缺吧，重要是在彻底残缺之前，先找到自己美的地方就够了。

收敛水。洗净灵魂，摊平思想。

31 岁的我，仍在朝“国民残缺美少年”的这一称号靠近，请大家把对少年的年纪放宽一点吧。

2012 年 10 月 11 日

时间面前，一切都无能为力

我和同桌雪在北京那么多年，花点时间，便可以把我们共进晚餐的次数数过来，不是因为太多，而是因为太少。夹杂在故去那些繁杂烦乱的日子里，掉进缝隙，不仔细清扫是压根就会忘记的。其中还包括她的儿子，我的干儿子套子出生那次。

其实我们见面和通电话的次数也算得过来。

一男一女，她按照她的轨迹在偌大的北京城生活。我按照我的方式生活。

一个人的生活不可以复制给另外一个人，就像她和高中便谈起恋爱的男人谈了婚，论了嫁，生了儿子，在四环的公寓里历经了五个春夏秋冬。

昨天，她在电话里说：你方便说话吗？

她是有很多话要说的。不过每一次她这样问我，我都会听一阵，然后说改天我们见面详聊。然后这种详聊同样掉进生活的边缘，一忙乱便掉进缝隙里，再也看不见的承诺。

我说：你说，没事。

她说：我和他商量过了，我们打算回湖南生活。

很长的日子里，在印象中，思维没有那么长的停顿与留白。

毕业后的8年，来北京的6年，脑子里全是事，断裂的语句，一些可笑的理想，自己给自己预留的台阶，一点温暖，一点爱好，一些可有可无，却着实充盈的暧昧。我也一直保持闭眼就睡觉，睁眼便行动的习惯。

我常常说：不要我一说完，你就回答我，应付我。

后来我发现自己也常这样，别人一说完，我就回答个一二三四。

于是我就把这句话改成，如果你没有经历过，你就别上来就回答，太狡黠聪明完美的回答反而是更大的破绽。

而当她在电话里静静地说出她的决定的时候，我的反应说像一颗子弹打在心脏上也不足为过。高速摄像机拍摄的画面，血花四溅，缓慢而奔腾，带着几年以来积蓄下来的力量，喷薄而出。

“北京出去全是人，到处是风沙，一年到头见不到绿色，钱也存不了多少。我们交税未满5年所以也没有买房的资格，房东说月租要从3800元涨到6000元。我想，还是找一个让套子成长更好的环境，不要像我们一样活得那么辛苦。”

这5年间，她做过很多艺人的经纪人，后来为了儿子放弃貌似顺利的工作，然后有了回湖南这个决定。5年，她在北京最大的收获就是生了一个儿子。其他的，似乎什么也没有得到。她付出的还包括从校花变成了少妇，从阳光的女孩变成说话思前想后的母亲。

在时间面前，一切都显得无能为力。

或者说，相对于我们的选择，一切的结果都显得无关紧要了。

选择的感受，远远超过获得时的兴奋。

有的时候，我们为了我们想成为的那个人，为了我们想获得的那种生活轻易就浪费了很多年，最终得到的不过只是一句话，一个答案：“是的，我满足了。”或者“没有，我失败了。”在停止最后一口呼吸前，我们恐怕连以上这个答案都无法确定。

在生活的每一个瞬间,我们都是我们想要成为的人,而不是曾经成为过的人。

看朋友发的《年轻的战场》，时间已经很晚了。一张一张的照片更替，那个人渐渐被模糊得已经不像自己。每张照片都是一段回忆，于是急速地回想，当时拍这张照片的时候，我在哪里，想些什么。我又会在什么时候，以什么样的心情再来看这张照片？

经过湘江大桥时，阳光满泻。而我只记得月黑风高的夜晚，我们并肩步行，有一点冷，MP3 里听的是《爱情证书》。我在想，如何向你表达我当下的心情，让你知道我挺在乎你，让你知道这是我最爱的一首歌曲，让你知道我在想我们是不是可以走得更久一点，让你像我一样更珍惜眼前的这些时光。

那天，我多少是失望了。不然，现在回想起来，我不会觉得那么遗憾。可即使现在遗憾了，想到现在的满足，又觉得以前的经历不过尔尔了。

不过尔尔。一句只有时间才敢说出的感叹，又潇洒，又放肆。

谁又能保证再过十年的我，不会看着现在的日志对自己说：那时的你的志向，也就不过尔尔。

最近，事情渐渐多了起来。我警醒自己，这么多年都过来了，现在的事情全都是机会，错过了一定后悔。于是不停地赶，不停地赶。全没了以往那些气定神闲。

开始焦虑，开始抚平内心，开始大量地按规矩生活，开始变得忙，而乱。

现在看起来，雪似乎比我更早发现生活的本质。可究竟谁更靠近生活，现在谁也没有定论。

只是，我愈发觉得自己热爱一个特俗的词，那才是我。

潇洒呢。

看得泪眼婆娑。我不知道人生中，我和雪像这样的聊天还有几次，或者是等我们都老了那天，再互相播对方一顿，亏对方一局？不知道，也不晓得。当我写这些文字的时候，她已经离开北京了，走之前，我们并没有见上一面。中途有两次我想问她在哪里，后来想了想，又把念头藏了回去。我们不过是在近百年的人生地图上游走，谁都没有走远。见和不见的区别不是没有，只是意义在哪？唏嘘一阵？感叹一番？告别时的主题，怎样欢乐的颂，都是欢乐的送。离开你的心里，离开你的距离，离开你的世界，离开你的视野，离开你的生命……种种。最好的结局也不过是欢乐送。

2012 年 7 月 15 日

在该绽放的时候尽情怒放

今晚啥事都没做。

看“那时候”的照片，想“那时候”的故事，“那时候”以为的生活是否如现在实现的这样。

这两年，喜欢上了一个歌手叫阿超。一个放在廉价商品里可以直接处理掉的名字，连报备都不需要。叫阿超的人，该是有多低调呢？

刚开始听他的歌，觉得他只唱给自己听。后来，觉得他唱给我听。两年过去，纵使周围都是媒体圈的朋友，也没有任何人在我面前提过他的名字。这两年，他的歌似乎只有他在唱，我在听。从《你好吗》到《比你好的人》到《one小练习第一号》。如第一次听到陈绮贞的《让我想一想》。一晃十年，陈绮贞的演唱会已然一票难求，众人合唱，集体泪奔，小清新升华为大团结，我忘记了当年在下雨天捧着CD机贯穿学校的场景，忘记了为了她的一首歌而买一张盗版合辑的热情，也闭口不再提托朋友的朋友去台湾的咖啡馆买她一张限量版的demo。但还是爱，深藏于心。

大多数人都是凡人。一天的幸福就能让他忘却以往所有的不幸，一天的不幸也能让他忘却以往所有的幸福。微姐是基督徒，她说的是《圣经》。

所以，我便及时地把所有当下的幸福打上一个又一个的标签，以便于为某天的沉沦做着准备。那时，陷入苦海之中，双手在海面上挣扎，随手一根稻草一个标签就是救命的偈语。

昨天重新将停工俩月的小说翻出来续写。

想起写青春小说的日子，卖得也不畅销，写得也不出众，唯有一条道走到黑的坚持，区别了我和那些才气逼人的他们。中途从未想过停止，权当写给自己，出版社愿意出版那就更好，反正房租也是一大笔的开销。以至于，在过去的历程中，出版过《五十米深蓝》这样完全靠年轻的锐气撑起来的小说，出版过完全自我的《美丽最少年》，出版过大家能看懂的《离爱》，刚开始，我爸挺得意的。后来我爸也常说，你就不能写点社会题材的吗？写点宏大境界的吗？

对不起，那时的我只沉浸于自己与自己的对话，根本还没资格与这个社会，甚至还没资格与他人进行对话。

只是，突然有一天，我再下笔的时候，发现原来我已经在社会上浸泡多年了，写下来的东西自然而然就成了社会的。

你看，我说吧，不着急，慢慢来，该轮到你的时候自然就轮到你了。

以前写过一句话，大体意思就是，就让自己在该绽放的时候尽情怒放吧，季节过了境，一切就不合时宜了。

2011年的4月，根本想不到之后会出版《被灭》和《没病》两本职场书。也就根本想不到两本书的销量一个月就能超过之前所有出版的作品的总和。想不到的事情有很多很多。今天我做制片人的电影《伤心童话》出版了第一版预告片。以及，我遇见了你，那么默契。

你谈到那时的暗恋，我问你什么感觉。你说：每天都想看到对方的消息，猜对方在做什么，在想是不是与我有关，我觉得一直有关。答案其实是：无关。

暗恋的美好就在于，也许永远不会失恋。

他们问我：你是从什么时候知道自己笃定要做这一行，要写书，要做电影的？你是如何让自己获得一些认可的。

其实我都是没得选择。只对传媒有兴趣，无聊就写字，觉得自己能做电影就提出想涉及电影。唯一我能选择的就是自己的心情。很多事情，只要能做到心甘情愿，一切就理所当然。

所有的现在，在我看来都是理所当然。因为我一直都是心甘情愿。

2012月6月29日

《伤心童话》公映了，投资300万，票房1200万，加上各类版权，这部片子赚了。这是做制片人的后遗症，一切都只看钱。只有晚上在微博上，才会去分享所有观众的感受，很多人哭了，又笑了，想找到一个剧中“刘同”似的人物。其实这一切就够了，很多事情做出来，内心第一念头不是为了钱，不是为了名，而是为了有价值，那是一种珍贵的存在感。也许今天有人不懂“存在感”这个词，但总有一天你会懂的。

2012年10月11日

爱的最高境界是等待

你一定不太记得，有一场擦肩而过，还有一场我为你死了。一出热播的剧情万人传说，我只能在角落安静地听着——《临时演员》。黄渤的歌曲。早在一年之前，我坐在民居的三层安静地听着他说这首歌的故事，那时我还在想，如果这首歌播出来的话，一定会红的吧。

一年就这么过去了，这首歌的 demo 我在车里仿佛听了不下 100 次。

这种故事已经看得太多，就算剧本硬把主角换成是我，又能够演出怎么样的幸福呢？我这样不值得一提的角色，你见过的何止有千百万个。

这首歌从未播出的日子里，早就成为了我心里的主题曲。

就像歌词写的那样。从签约，到编排台词，偶尔几次的擦肩，最后为你痛哭一场，才知道自己原来只是一个临时的角色。

晨光微凉，一宿未睡。顶着杂乱的发型，我从一个车站转移到另一个车站，在行人穿梭的机场洗手间，众目睽睽之下，拿出刚买的剃须刀，慢慢地，刮去因为熬夜思念而长出来的胡碴。

那时的我几岁呢？为什么还干着一件让自己觉得特清苦，却又自得其乐的事情。

将脸颊用清水冲洗干净，看着镜子里的自己，其实我也不管那时的我几岁，在我之前的人生里，这种剧情从未上演。也许，再过两年，我因为好评而获得人生的奥斯卡时，我还是会感谢你，感谢你当时给我安排的这一出内心剧。混迹于千人之中，从火车站走出来，T 恤里还有因抵抗乏力感而勉强吸的一支烟的味道。脑子里还刻有最后你不回头的决绝。凌晨最后落力的拥抱，嘴唇里隔夜酒龃龉的味道。

不过这些，如果不记录成文字的话，一天两天过去，应该就忘记了吧。曾经看到过一句话：虽然我们分开了，但我还留着你给我的那些短信。不为别的，只是证明，如你这样的人，也曾经那么热切地爱过我。

爱过。语文老师曾说，这不是一个词。

后来你肯定地说，语文老师错了。

你说：我就像是一颗被看透结局的棋子，不贪心地与你相安无事，只是希望这些浓烈能散尽得慢一些。

爱的最高境界，不是索取，而是静默的等待。

我说：任何爱情都是一盘棋局，总有一个结束，再来一盘开始。我不能保证这盘棋能下一辈子，我只能尽量让这盘棋走出一个和局，让我们彼此有一个好的ending。那样，我们都了无遗憾。

你说：了无遗憾的结束总比意兴阑珊的结束好。

这是一篇关于内心凌乱的文字。

我是有多久没有写过这些了。

抬起头看海面之上的自己，那些饱满蕴含着热烈的青春的斗志，那些一字一字的条条框框职场真理。那些一碰就死，一死就散的所谓原则。

正因为此，我忽略曾经收到花的心情，也读不出手写信背后的斟酌。不懂一宿未睡只因答应她要陪她的承诺。后来，我慢慢懂了。慢慢知道，原来很多事情都是两个人的事情。

幸福究竟是什么呢？

以前认为是遇见，以前认为是奇缘，以前认为是在一起，以前认为是承诺，以前认为是一切解释不清且体会不明的心境。

现在，也许我只会回答：幸福就是开心。

你把我捧在手里，淡淡素服。我把你放在心里，碧落茫茫。

只要爱着，多年后，一定能再见。

猛回头，一句词:“我是人间惆怅客，知君何事泪纵横，断肠声里忆平生。”

我只记得写下这些文字的时候，我仍在失恋中挣扎着。以至于过程中说过的每个字每句话都那么的清晰，只是现在，只记得自己很难过，却已然忘记当时的痛苦了。不过一年之间，我就已经走出了困境，实在是出乎自己的意料。我还记得在三里屯一家酒店的顶层，我喝了一大口酒，和朋友分享心事，我说：这恐怕是我一辈子最难以忘记的恋爱了。一年之后，我除了还记得对方的名字之外，其余的都忘记了。星座小王子说我这个星座的人容易相信爱也容易忘记爱。总是用新伤去弥补旧爱。当时听说时吓得要死，觉得自己每天得遍体鳞伤，然而过了那么几次之后，觉得也就不过如此。张小娴说得没错，所有失恋的痛苦，一是因为新欢不够好，二是因为时间不够长。她是对的，失恋不会死。一年，是期限。

2012 年 7 月 31 日

好在我们还能继续走

Ann给我发来一张玉龙雪山的彩信。附了一句话：大床正对面的景，远处是玉龙雪山。没头没尾。却像下笔千言。

人和人的关系，一旦开始时走得近，一辈子也是那么近。

因为一开始Ann把我当上进的小学弟，所以在我心里，她无论如何都比我懂得更多，比如第一次我邀请她吃饭，她能说出哪里的夜宵又好吃又便宜。那一次吃饭，权当一次面试，后来我就成为了她负责的宣传部门的一名小干事。

我喜欢“干事”这个名字。所以在学校的那些日子，不停地干事，也不知道干的那些事对未来有什么作用，但是一直忙碌地奔波，很容易就安慰自己“好像你也没怎么浪费大学的时光”。

后来我买了一辆极其拉风的赛车，无论上坡下坡是否有台阶，都直接踩了过去。有一次，Ann坐在我赛车的横梁上，我从南学区踩到北校区。后来，那些学长学姐们就说Ann正在谈一场姐弟恋。她那时大四，我大二。

有些人，一旦被周遭误会有暧昧，两个人就莫名有了隔阂，而我和Ann只是相视一笑。Ann是当时宣传部的部长，文笔与气质都很出众。我很珍惜她对我的信任，对于中文系的女孩而言，任何与男生接触的机会都会降低自己在他人眼中的神秘感，而Ann对我没有半点防备。说起当时我的心情，给我一把长枪就是堂吉诃德了，心想如何不让Ann被更多人误解，但更多的是如何让Ann更有面子，因为我知道很多看热闹的学长只是觉得我乳臭未干罢了。

虽然那时《忐忑》还不流行，但想着当时的心情，每天就像是踩着《忐忑》

的歌词一步一步前进的。

Ann 毕业时，我们也没有过多的告别。

在这一点上，我是一个颇为自信的人。

我一直认为，如果对方在我心里有位置，无论他走得多远，也走不出我的心。

后来 Ann 去了长沙的重点高中当老师，然后又过了一年，她决定出国留学两年，后来回了上海。从工作不顺，到门户网站的主编。从不顾忌别人目光一直单身，到终于决定在上海安家落户嫁为人妇。一晃十年，我和 Ann，就像两张幻灯片。互相将人生投影在对方的身上，但一切都只是投影。我们各自的色彩，画笔的纹理，连投射出来在对方身上的热度，都不曾改变过。

我曾顶着一头乱发去专卖店给她买了一件冬天御寒的衣服。

每年那个时候，她的话题都会围绕那件衣服展开。

每隔几个月，我和她会就人生转折进行探讨。

她说：其实这么多事情走过来，你会发现，人生无处不是转弯的地方。但好在，我们还能继续走。

继续走。这三个字组合起来很妙。

前面已无路，继续走，可以走出一条路。

前面很多路，随便选一条继续走，走到头都有欢呼。

前面花团锦簇，貌似冲刺的尽头。闭上眼继续走，把人群抛在脑后，当喧嚣声渐息，那不过是一场虚假的繁荣，遗忘前的一次诱惑罢了。

她的短信发来。人也淡淡，水也蒙蒙。

她说她的人生貌似已经固定，所以想再尝试一次冒险，问我的意见。

我一直认为，人生最大的冒险就是不冒险。

她欣然接受。

所以无论接下来，我们各自如何选择，也不过是我们相知长河中一次小的暗流。

前天,我爸过了他60岁生日。我说,我爸已经进入中年了,而我也就成年了。日子还长着呢,路上还有的是人呢。

关于Ann,来来去去好像就是那么一点儿事。一想起来,还是那么一点儿事。朋友,再好的朋友,也不过才这么一些事情留在记忆里。其他那些人,或许更少了。所以每次一开心,我就拿相机拍下当下的场景,因为我知道未来一定会忘记。

2012年10月11日

路的尽头究竟还能走向哪里

从看到你第一眼，我就在想，无论听到什么都无意识抿下嘴唇的你应该是一个很好打交道的人吧。

后来，这样的猜测一点一点地增多。因为缺少语言的沟通，所以我常常用你接下来的行为和举动来证实自己的观点。

朋友问：你了解对方是一个什么样的人吗？

我毫不犹豫地回答：沉默，寡言，心事太重，难以表达自己的人。

朋友问：所以，你根本就不了解这个人对吗？

“沉默，寡言，难以表达自己”这些都是外化的表象，正因为如此，外界也就毫无可能走向你内心的那条路。回忆起来，在走进一个人内心的过程中，我们都曾试图用各种方式去接近，或许我们都有那么一刻觉得，只要一伸手，便能够得到真正的那个你，可最终，都是我们猜测的一场虚妄的梦。

在人与人的交往中，究竟什么样的方式才是正确且有效的呢？

至此刻，我仍不明白。

你说我们要彼此体谅。

体谅对你而言是一种态度。“行，你去吧。”“好，随便你。”“没问题，我有什么好生气的。”你很有诚意地摆出了体谅的态度，却不管你体谅的结果——我是否真的能体会到你的体谅。不能让我变豁达的体谅，不是我要的体谅。

体谅于我而言更像是一种结果。通过体谅的态度开头，体谅的行为贯穿始终，双方抱着互相体谅的态度让彼此对未来更有信心，才是真正的体谅。

否则，那种抱着怒气指责对方说：你看，我都那样体谅你了，你还抱怨个啥?!

如果你是真正的体谅，那么，我根本就不会再抱怨、冷战，或者沉默。

在感情的道路上，我曾一度认为每个人都无法正确地认识到自己的缺点。后来才发现，这是一种误解。大多数人甚至非常明白自己的缺点，只是他们常常坚持给这些缺点取一些新的名字，完全不同于世人对于缺点的习惯性称呼。

所以，我们在争论的道路上常常迷失方向。

直到最后，我才反应过来，我一直说的大象，其实就是你一直说的老虎。我们花了太多时间在讨论究竟是大象还是老虎上。其实，我们要讨论的关键是，如何让你明白你的老虎其实是一头大象。

写到这里，我突然有点儿明白了。也许不是我们不懂什么叫体谅，只是你懂的体谅与我懂的体谅不是一回事。

你的“体谅”是一种语言上的妥协。不代表你的气势妥协，不代表你对结果妥协，不代表你对我整个行为的妥协。

我的“体谅”正好相反。我指的是整个行为的妥协，绝非语言，气势，用词遣句所能涵盖。

其实，早就想用记录文字的方式来思考这个问题。

每次提笔都不知道从何写起，今日，有些顿悟。

因为忙而作为借口的逃避，实质早已对生活造成了巨大的变化。

如果更早一些明白这些，很多事情的处理方法会更简单而非更纠结。

心里也就某件事情彻底画上句号。

人和人的缘分，从上世延续到这世，也只有那么多的福分。折腾完毕，无论如何努力和使劲，也都无济于事了。最后会把两个人都累死，双方还不认彼此的好。与其最后狼狈收场，不如趁现在有理智，气定神闲说句再会。

后来我常观察，很多人与我们发生了争执，争执的往往是同一件事，就好比绿灯亮了起来，我们的车都可以通过了，但我说绿色是绿色，你说绿色是蓝色，于是我们为此争了一天。

2012 年 10 月 14 日

世道虽窄，但世界宽阔

如果回过头再看，究竟哪一步最重要。

这是我最近常问自己的问题。

之所以现在要问，那是因为，现在的生活的确与之前相比有所不同。

其实表象上是一样的，每天都像被打了鸡血从早忙到晚。只是以前更多的是面对事情，现在更多的是面对人。

因为面对了更多的人，所以在某种意义上，连微姐都说：我周围很多朋友遇见我都表扬你了，说我这个弟弟表现真不错。在某种意义上，有人问：请问你是如何获得今天的成功的？（真的，问出这个问题的人，让我真的很想打对方。其实，我一直觉得自己挺成功的。哈哈。）

成功是什么呢？成功不是挣了多少钱，不是有几百万的粉丝，不是拍了多少杂志的大片。其实从大二开始，当我知道自己未来十年，二十年，三十年一定会从事传媒文字工作那一刻开始，我偷瞄了几眼旁人——大多数人甚至不清楚自己下个月要干什么。我就知道自己挺成功的，当一个人开始了解自己，为自己答疑解惑，为自己内心指清方向的时候，那就是人生最大的成功。

所以回到第一个问题。究竟哪一步最重要？

答案不是哪一步最重要，答案是知道自己如何走第一步的那个年头最重要。

这一切得益于我妈。

当年我的高中成绩差到离谱，要么花5000元读一个重点高中的普通班，要么花5000元读一个普通中学的重点班。

我妈的月工资当时只有1200元。她想了想说：与其和一群交费不喜欢读书的人挤在重点高中的普通班，不如去有很多力求上进学生的普通高中重点班。按她的解释就是：普通高中重点班的纯度更高。

重点高中无论再如何重点，身陷普通班，学习的纯度自然很低。

普通高中无论再如何普通，身陷重点班，无论如何都会被高纯度的学习氛围所影响。

一切证明我妈是对的。

后来我上了湖南师范大学。当时湖南师范大学还不是211的重点大学。对于一个什么兴趣爱好都不知道的我而言，唯有进入一个学风好的专业才有可能苟延残喘下去吧。于是选择了当时学风最好的中文系。事实证明，那又是一个高纯度的学习氛围。

后来我也常常看见有人写：无论世道再差，只要你保持内心的高度纯洁，你依然会是一个好人。

我把它改成：如果你不是一个自控力超强的人，那就和更多与你一样有一颗向善之心的人一起，集体修炼强大，个人自然能强大。

有人靠考入清华北大复旦用环境救赎自己，有人发挥失误进入大专也能只身一人闯出一片天地。千万不要认为高考，或者中考，或者一次面试就会决定自己的终身。只要内心那一盏灯能够为自己点燃，持续燃烧，每当失去方向的时候，看看内心的光亮，一切就不会惶恐了。

大二之前，每当我不知何谓人生，何谓未来的时候，我总是企图找到一个内心强大充满光亮的人，总觉得遇见一个那样的人，就能获得指引的机会。于是问同桌，问同学，问长辈，问一切可问之人，得到模棱两可的答案。狂风大作的答案早就把内心奄奄一息的火苗吹熄，如若更惨一些，落一阵暴雨，长时间内，火苗再无复燃的可能性。

> 看到这，我才发现我真的是一个习惯自己与自己对话的人，找不到别人解答的问题，只能自己问自己。这个习惯仍保持至今，只有心里有了确切的答案之后，才会去征求他人的意见。征求意见只不过是为了得到一些心理安慰，一致的，就放手去做；不一致的，小心去做。总之，必须去做，因为这是我自己告诉自己的。
>
> 2012 年 10 月 15 日

原来我也曾经走到过那么远

我还是偶尔会忘记时间，偶尔忘记要去的地方，偶尔怀疑现在做的一切是不是正确，偶尔感激一下现在的状况，并时不时拿现在与曾经作对比，其实发现，没什么两样。就像老板今天仍对我说：刘同，你究竟打算这样没心没肺活到多久？这句话，好像四五年之前，她也这样问过吧。

说到满足的事情，那是一堆一堆的。

比如，只要坐在书桌前，就不会心神不宁漫无目的。

现在还记得很多很多的夜晚，听着什么样的歌曲，翻着什么样的书，写着什么样的文字，和什么人在QQ上聊天，畅想几年之后的生活。其实和现在真的差不多。

说到遗憾的事情，也不是没有。比如，弹钢琴。

我看见会弹钢琴的人就腿软，走不动。我最想梦幻成真的场景是，某一天，在酒店大堂，遇见心仪的人独自在喝酒，我就走上台，弹了一曲，击中对方，泣不成声……那该有多好……虽然是瞎扯。

有时候，自己和自己瞎扯，是一件很满足的事情。

小杰介绍了静秋姐。

她拿着我7年前写的书，一点一点仔细地读，然后分享给同事听。

然后写邮件告诉我。

让我想起那时我写这些文字的时光，安静，敏感，又踏实的。

多少不像现在，为了一个梗概而写一篇微博，为了一个高潮而写一个铺垫。

那时写东西，不会动那么多心思，只是跟着心思一路写过去，遇见了你，遇见了风景，遇见了一个又一个坐标立于原本生命的不可企及之处，匆忙用石子在上面刻下我曾来过的痕迹。

虽然现在我坐在这里，听着最新的歌曲，最潮的音乐，用上网本写文字，用 iPad 上微博，吃着新鲜的荔枝，按时睡觉，到点上班。但静秋姐那几句话，让我心里对自己说了一句话，那句话有点恶心，但特别适合我这种 30 岁的无公害小青年用来抚慰自己，那句话是这样的:原来，你也曾经走到过那么远……

原来，我也曾经走到过那么远。

而现在，我目力所及之处均有拥挤人潮，力量所及之处必有疑惑需要解决。

影子与灵魂都丧失隐遁的日光下，谁又比谁能走得更远?

以前，还会争论几句方向，现在能多走几步便不容易，一个比一个更像招徕顾客的人形立牌，面无表情，同样姿势，欢迎光临，春蚕到死，丝方尽。迎不来第二天的清晨，煽不动第二天的翅膀，戛然而止的何止生命，还有妄想成为蛾子翱翔的梦。

希望，这一切都只是那时做着的一个逼真又实际的梦。

那件青葱且疯狂的小事叫爱情

“我外婆和你一个姓，我在想，如果万一，我们是亲戚的话……”

如果我们是亲戚的话，无论发生何等的崩析，我们的关系不会像之前那样说断就断了。

如果我们是亲戚的话，无论你多么不想见我，你总会听到我的消息，看到我的样子。

如果我们是亲戚的话，就意味着，无论场面多僵，随着时间我们都淡忘一些应该淡忘的事情之后，相顾一笑，便能化解当时无论如何都解不开的愁和仇了。

伴侣是全天下最令人害怕的关系。陌生人因情因景走在一起，亲起来比亲人还亲，陌生起来比陌生人还要陌生。

所以我明白你说的意思。其实连我也曾在心里暗自想过，当时我深爱的那个人，如果我们是亲戚就好了。即使，不能一生得到，但起码不会失去一生。

你说这句话的时候，我在路灯闪过的瞬间笑了。

你自顾自地说着。我已然在心里盘算，如果这样算起来，我究竟是要做你的叔叔，还是要做你的哥哥，或者别的什么远亲也是可以的。

你说：不要因为曾经的伤害，而失去获取再次深爱的机会。

道理谁都懂，可，受过伤之后，谁能迈出这一步呢？

正因为恨一个人不容易，爱一个人也很辛苦，唯有亲人是在爱与恨之外，不能用爱恨去衡量的，所以，委曲求全做一回亲人，是不是也象征着，我们朝爱都各自迈了一步呢?

他们说:爱情终始于爱情,即使是最热烈的友谊也无法转化成最冷淡的爱情。爱情终始于爱情,即使是最在乎的亲情也无法转化为最决裂的爱情。

袁泉唱《那件疯狂的小事叫爱情》,木槿花的青春,白色的短暂停留,喝着拿铁读曾读过的诗。恣意又放肆的日子,在用手指丈量日光的欢欣中远去。

翻来覆去睡不着的微笑嘴角,像书本里夹带的干枯花瓣一样珍贵。

手捧电子书来去穿梭的时光里,谁也不知道,谁丢失了什么,又被谁丢失了。

今天,北京一直在下雨。

坐在出租车里,看着雨中的北京城,耳塞里是袁泉的歌曲,想起往事,仿佛自己浸在青春里从来就没有脱离过。

这个问题至今没有答案。

2012年10月15日

让梦想成真的最好办法就是醒过来。

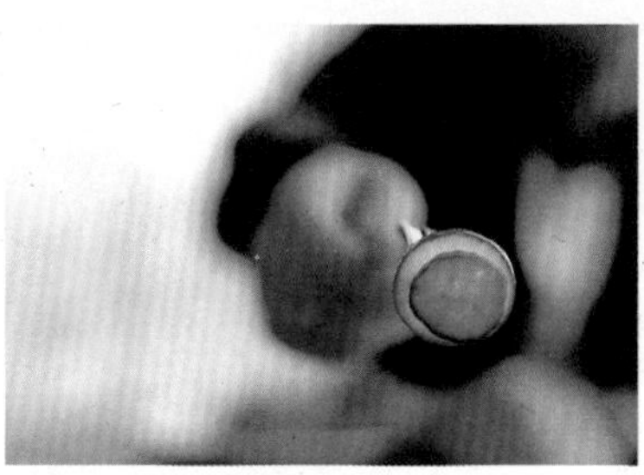

要知道以后的路，那就不叫人生了。那叫认命。

我们都需要一见钟情很多人，两情相悦一些人，然后才会白头偕老一个人。
每步都是过程，每个人都是回忆，每一次恋情都是命中注定。

人生有两种境界，一种是痛而不言，另一种是笑而不语。

你简单，世界就很简单

哪哪，总得有一两个对手。

如丁丁张所说:为什么《猫和老鼠》里,汤姆永远斗不过杰克?为什么《蓝精灵》里，格格巫永远都是败者?那是因为——一旦败者有了转机，故事就意味着 over。

有时我们聊天不经意会互相讽刺，然后用“好啦，开个玩笑”收尾。

其实，我们都知道，每一个玩笑的背后都带着认真的意味。

这些年，每个人都是在这种略带认真却被玩笑粉饰的针对中各自修炼，得以存活。

新认识的朋友常常会好奇，“你怎么连那里都没有去过？”“你怎么还在做这样一件事情？”他们的问题大多真挚而非敷衍。其实如果真是敷衍的话，也就罢了。最怕对方认真地帮你思考。比如“为什么你没有去过香港？”“为什么你居然还要还房贷？”

那一刻，我告诉自己：这个世界虽然大，但并没必要认识那么多朋友。潜台词也就意味着，并不是朋友越多你就学习得越多，还有一个危险——那就是解释变得越来越多，时间浪费得越来越多。

遇见那种你还未张嘴，对方便猜出你的心意，这样的人，谈恋爱也不觉得后悔。

遇见那种你说了上半句，对方便能接下半句的人，赶紧做拍档，多半事半功倍。

遇见那种你说完整句，对方才明白你想法的人，做个好同事很恰当。

遇见那种你说完整句，对方也不明白你意思的人，这样的朋友最好不要交往。

遇见那种你说完，还需要你解释，然后对方还不明白的，多半是上天和你的敌人派来害你的。

虽然以上的原则不一定正确，但本着这样的原则，生活和工作都变得简单起来。害怕痛苦自然会忽略某些沿途的快乐，但避免痛苦，也就省去了多半疗伤的时间，然后，可以去寻找快乐。

这就是为什么我懒得解释很多事情的原因。懂你的人不解释也懂你，最终还是你朋友的人最终会懂你，最终会明白错怪你的人最终会责备你，最终仍不明白你的人就让他带着不明白进入下一次轮回好了。

其实你简单点看世界，世界就很简单。虽然说任何事情有积极意义消极意义一堆道理，但一定在某一个细微的部分是有对错之分的。因为这一微小的对错，导致了整个事态的改变。如若要面对一件倾覆的大事件，我错了就是我错了，我没错就是你错了，不用讲情，只需看理。把理说清楚的情况下，再讲情也不迟。最怕理没理清，急着说情。那样永远都不知道何为理，全是情。人生复杂如跨越一个世纪被咬得千疮百孔的毛衣，一堆断裂的线头，都不知从何说起又从何结束。

所以最近几天，我遇见最令人无语的问题是：“什么？你居然也要还房贷？”

这样的人，容易被表象所迷惑，如果还继续问这样的问题，多半没什么出息。

当然，像我这样一个人，现在居然还要还25年的房贷，有什么资格说别人没出息。

但我就是说了，你怎么着吧。

所有的借口都是骗自己的理由

小提琴拉响了我们九年没有见面的记忆，就像我们第一次见面内心里产生的协奏曲,校园的路上,你上,我下,交错肩刹那而响起的那首曲子你还记得么？

当然是要记得的。音像店女孩的长相算不上端庄，每次谈及她的长相，我们都会很有默契地忽略，但心里还是忍不住想笑一笑的。

女孩看见我们，就像遇见她的初中同学般。笑起来，不掩饰她大大的门牙，因为笑得坦荡，反而让人觉得好看——也许，至今我笑起来毫不遮掩的样子，多半是潜意识里和她学的。

她说：呃，那位同学十分钟前刚来，买了三张专辑。分别是梁咏琪的《透明》，戴佩妮的《iPenny》以及林隆旋的《钢琴曲》。

她知道，凡是你听过的专辑，我都感兴趣。当然，我也知道，凡是我听过的曲子，她也会向你提及。

我们约着去学校的音像店看那个女孩。状况如我们预想的一样，音像店的陌生男孩说，那个女孩两年前就离开了。问去哪里了，他说：听说是她爸打工受伤了，她妈必须每天照顾，弟弟上学，家里没人做农活，所以她就回去了。

很多人闯进你的生命里，只是为你上一课，然后转身匆匆就走。

从她身上，我学到了没心没肺的大笑。学会了用CD机听你听的曲子，多少能猜到你的心事。那一年，我们借着音像店的女孩交换了近一百张CD。

因为种种原因，你博客最后一篇日志留了一句话：花季未了，你却走了，泪在掉。剩下的绽放，回忆里烧。花季未了，余情未了，直到天老。

有一句话你没有写出来，那是最后一句词：花季未了，余情未了，直到天老，也许遗憾才让人生美好。

伤心的叫磨难，释然的叫遗憾，忘记的叫业障。

我们从未走近过，只是现在想起来，如果，我们多走几步，如果我们再靠近一点。如果，我曾用右手牵过你的左手，用脉搏搭上你的心跳……

那么多如果，让我听着过去的那些歌，觉得有一点点的怅然若失，觉得巨大的遗憾的浪迎面而来。

九年了，你在哪里？

听着这些歌曲，一个仍未改变的我，如果在街头遇见你，我想我仍会去买你买过的 CD，听你听着的歌曲。

而今，坐在这里。想起这些，突然想记录下来。无论是不是现在困得不行，是不是白天疲于奔命。因为在乎，所有的借口不过是骗自己的理由。

谁和你演对手戏

有时候，我在想，如果退回几年，遇见我讨厌的人，我会怎么做呢？

首先，在心里骂是自然的。

不过，我不会长篇大论地骂，因为讨厌的人不值得长篇大论地骂。

长篇大论骂过的人也不是没有，想起来，总之是对方身上有一些我羡慕妒忌又做不到的事情。童年的时候，谁讨厌一个人，就会挖墙角似的开始数落，显得特有正义感，然后拉拢一帮人，企图用口水淹死对方。你看不上的人，你不会骂。

你企图靠骂把对方拉下马的人，其实又看不起你。

这真是一个悖论。还好，对于这个悖论的证明，我花的时间并不多。

很早以前，有陌生人突然给我留言说：你居然……我真对你失望。

大清早，我就呆在那里了。

我慢慢地敲字，写下了心里特别特别特别诚恳的想法：大姐，我对你从来就没有过希望，你又何来对我失望？一个口口声声说别人让你失望的人，活该一开始你期望太多。

人，最怕考不上戏剧学院。

没有发泄的渠道，就把人生当戏了。

因为对方一句话爱上一个人，因为对方一个笑把自己许配给一个人，因为对方一个蹙眉就把心交给一个人。又因为对方笑的时候没有露出八颗牙齿，只露出七颗，于是立刻推翻自己以前的山盟海誓，然后通知对方：你太令我失望了，我以后不会再支持你。对方的反应是：……哦。

在你的世界里，你一直是主角，不值得怀疑。但人家想不想做主角就不知道了。明明人家连龙套都不想扮演，你偏偏把他当成主角。这样的片子到你死的那一天你都拿不了奥斯卡吧。

找一个正确的对手戏演员，比自己演一出独角戏更有难度。

能清晰地辨认出谁能和自己演一出精彩的对手戏，离拿人生如戏的大奖也就不远了。

如果你真的爱

努力后也办不到的事情其实有好多。只是，在一直奔跑的路程中忘记了。有时候在某一个路口再作决定的时候，会突然被唤醒，哦，原来很多年前，我已经努力过，再努力也没有用的啊。

这些事里，包括了好多。第一次努力和父母像大人般的交谈，失败了。

努力装出成熟的样子让伙伴们信任，然而也失败了。

努力让对方相信无论遇见任何事情，我们都要一起扛过去，也失败了。

好多次买了英文书，英文 CD，上英文交友网站，准备好好学英文，也无疾而终。

那些从来不提的很多事情，选择性遗忘的事情，是真的不想再想起，而不是没有过涉及。

今天，我又一次开始学英文了。

就像过去，我推翻几万字的小说，又重新写一个小说的开头一样。

只要开头开得妙，接下去的书写也就舒服顺畅许多。

其实很多时候的放弃，是因为觉得别人过于优秀了，慢慢地，就放弃了。

学过几天的羽毛球，然后被人满场调戏，前场，后场，左边，右边，最后把拍子一扔，颓废至极。心想，这也差得太多了吧。于是决意再也不碰羽毛球。

排球，跳棋，篮球，足球，英文都是如此。

那天看到一句话。大致意思是：其实幸福是一件很简单的事情，只是我们常常希望自己比别人幸福，反而很难得到幸福。那是因为我们对别人幸福的想象往往超过实际。

柳岩在录制节目的时候说了一段话：面对那些骂我的人，我哪里有时间停下来和对方吵架，或者是回头解释。我只能一直跑一直跑，跑远了，那些站在原处骂你的人声音就小了。也许前面还会有新的人骂你，但我还是相信越是前方，有工夫骂人的人越少，因为大家都在奔跑。

每次听到这样的语句的时候，大多数人心里和我想得一样。“说得真好。”

把一句话说得真好只需要两秒钟的时间，可背后花了三年或者五年才得到的经验教训，并不指望一说给你听，你瞬间便能明白。只能提个醒。你的生活还是你的，不管我们产生多少共鸣，无论如何，我们的人生都不会交织在一起的。

有人说：“我喜欢传媒，喜欢电视，喜欢一切和创意有关的东西，我想进传媒这一行。请问，我应该看哪些书呢？”

如果你爱一个女人，爱到骨头里，爱到生命里，爱到梦里，爱到身体发肤毛细孔真皮层，那么你一定知道她爱什么，喜欢做什么、喝什么、去哪里，朋友是谁，父母住哪里，最缺什么，想要什么……如果你爱她，我不提醒你，你要做的事情应有尽有。

所以你问我：“我喜欢那个女人，我愿意为她付出一切，请问我应该怎么办？”

如果你的眼神恰好还特别真诚，我只能赐你一句特别古老、平时用没什么新意，但用在你身上却又十分生动的回答：“你撒两滴尿，照照镜子，看看你配不配得上。”

如果你真的爱一件事物，你比我更关心，更在意，更明白自己要做什么。

一切打着爱的名义的喊口号都是耍流氓。臭流氓。

所以我打算不再问别人“如果我要学英文我应该做什么看什么书”之类的问题了。

安静地坐在书桌前写一个小时东西，看一个小时书，听两个小时喜欢的歌手的音乐，然后睡觉，比在几个城市间奔波感觉好。以前总觉得忙碌起来才是生活的本质，现在已经体会到，能够一个人独处，阅读内心才是生活的本质。

我实在是记性不怎么好的人，比如我确实早已忘记自己在文章里写过“所以我打算不再问别人，如果我要学英文我应该做什么看什么书”之类的问题了。可我最近决定最后一次学英文时，什么意见我都没有问别人，因为只要你真的想学，哪哪都能学，美剧，词典，各种软件。何时都能学，上班路上，等点餐的空闲，会议放空中。只要真正想学，从一个屁中都能揣摩出一个发音。

2012 年 3 月 20 日

狂热是什么

以前在乡下的时候，站在路旁，什么都不想，风声，质感，色彩，阳光，都能够清晰地辨认出来。

现在在路旁，唯一能做的也只有被车里的人可怜一阵子，风驰而过。

昨天去中国传媒大学给孩子们讲课，有人问：我问你一个问题，你能不能稍微停一两秒再回答我？

引来哄堂大笑。对方涨红了脸。我知道她的意思。

所以我思考了10秒。

她的问题是：如何才能找到让自己狂热的事。

我很容易狂热，我一个人时常常很狂热，我也很安静，一个人的时候会比寂寞还安静。

控制自己，是件简单不过的事，只是看你要不要给自己这个面子。

如果觉得不必太珍惜，于是那些可以豁得出去的便豁出去了。

若要一直狂热，你只需把我放在一群志同道合的朋友中便可以。

昨天我和投资商签了约。朋友忙碌了一年终于说服了投资商买下小说改编权拍成电视剧。

多年前，我从不认为这是一个可以做的梦。甚至一年前，我也觉得那仅仅是一场可以做的梦。昨天笑蜜在传媒大学找我，包里揣着她辛苦一年换来的一纸合约，她像港剧里面的妈咪一样，笑盈盈地挎着她那个常挎的包，被风吹得有些微红的脸，跟着我跑来跑去。

我把自己的名字签上的同时，我明白，这和电视剧无关，却和很多很多其他的有关。

我记得当初投资商有意向的时候，我很谨慎地问了硕哥。期间不停地麻烦与打扰，他都一一地回答并且给出了很多很多的建议。

多年前我还未毕业，我被他锁在他的工作室里，拿着最新的日韩剧，每天都要出一份剧情概述。多年前，他才30出头，一直有一个拍内地偶像剧的梦。所以他有几面墙的资料，那全是他看过扫过背过的故事。他在绿茵阁说起那些，我觉得全中国都不会有人比得上他，我现在也是这么认为。

上周我坐在他的左边。他一样缓缓而谈，缓慢而坚定，像9年前一样。只是从我的角度看，他已经有了零星的白发。抑郁症5年后，他复出的第一部戏是《青蛙王子》，当年的收视冠军。

还有K。认识时间不长，却把我当成了儿子，不停地给我建议，自己的公司也不管，却喜欢和大家一起努力一些看不到未来的事情。

还有好些人，因为一样的性格聚在了一起，从不考虑报酬，只因为大家想做成一件事情，于是大家就朝一个方向努力着。

狂热是什么？狂热就是你看到一群人默默地和你干着同样一件事情，却毫无抱怨，你恨不得跳进锅炉以表心迹。

狂热也是你和他们说话，恨不得把心掏出来，甩他们每人一脸子的热血斑斑，然后哼的一声收回去。

狂热是大家热火朝天聊着天，你体力不支睡着，睁开第一眼后不问任何问题，自然接着话题聊下去，没有人会因此而讶异。

狂热是一群朋友，可你会忽然忘记他们是你朋友，那分明是另外的一个自己。

2012

2012 年，我 31 岁，这时的我认为：

不用太在乎被人看低。

没有真正的充盈，也没有真正的孤独。

一个人的完美，恰恰在于他敢呈现他的不完美。

有信仰的人，总是积极的。

投入，这个词，很重要。

用力拍拍才有光

听一首老歌，坐一个下午，双手记录想留下来的一点心情。哪怕没有酒，也感觉惬意。每日上微博，支离破碎的言语，就像被打碎的玻璃，片片都反射着耀眼的光，晃得人睁不开眼，刺激，却心慌意乱。不如打开一整篇 word 文档，纯白，只有光标安静的闪烁，提醒着文字必经的路程。

一张一张翻阅相机里曾因慌乱照下的照片，才记得起当时的全景。有时会后悔当时没有过多的留意，所以常常都留有些许的遗憾。早在几年前，星座没有那么受欢迎，我以为这个世界也许也只有自己因爱惹留恋，因恨添陌生，然后写下“东风不为吹愁去，春日偏能惹恨长”之类的我很爱死却也能把某些人矫情死的句子。那时还生活在另外一个世界。一个只能自己和自己聊天的世界，没有那么多没完没了的问话，没完没了的应答，没完没了的 ID，没完没了的一切，仿佛一切都不会结束一般，总会累的。

现在就学会了说，噢，我们这个星座或我们这类人就是这样的，别理我们。当无数孤单世界貌似被某些概念定义成链接后，细细密密的看似银河系，眼底泛起一片温暖，嗯，还有一点儿向世界叫嚣的气势。

也像是重拾起童年时那只从未射准目标的弹弓，环顾左右，除了能壮胆之外，起不到任何实质性的作用。拿着弹弓，一步一步向前走。剧情里，导演铺着一首熟悉的歌，说的是你一个人路过一个人走过，剧情冷漠，听谁在诉说承诺。大街上人来人往，你拖着许多牵绊，时常想逃往简单，却立即被遣返。久而久之，你也习惯了这种状况，各种喜怒哀乐的反复，不过是墙壁上年久失修的开关，偶尔用力拍一拍才有光。

他们所说的那个方向，充满了各种可复制的纸张，睡觉工作写作，说着一点陈旧不陈旧新鲜不新鲜的感触。你问我，是不是很紧张。我说不，一点都不紧张，就如同卫星在轨道上，明年今日，你都算得准自己是在哪里。只是我都忘记了上一次有恋爱的感觉是什么时候了？

20岁的我多少能猜想到30岁的自己

20岁的我多少能猜想到30岁的自己。

不是具体的某个场景或模样，而是完成预定目标时内心的窃喜。

今天在微博上写：小纪念日。最早自己的某句话被登在杂志里。后来写明星的文章被登在杂志里。后来围绕一个主题聊自己很多的想法被登在杂志里。后来成为被访嘉宾还被拍几张照片被登在杂志里。再后来在杂志上拥有自己的专栏能定期写想写的东西。今天专栏的名字第一次被印在了杂志封面上。

最初时是在报社实习，写了30遍的1500字最后只用了40个字放在一边，38个字的影评，2个字的名字。

后来陆陆续续，有文章在电视台的内刊发表了，在全国发行的不知名的杂志发表了。作为庶人也登上了一两本街拍的杂志，作为媒体从业人也偶尔在一些杂志的主题文章里发表一下自己的观点。后来多了一张一寸的照片作为介绍。再后来参加一些商品的软性植入，但多少是能够拍一张时尚的大片了。有一些编辑这些年每年约我做一次这样的专访，拍一张照片，记录我每年的变化。

其实也不过是在两年前，我希望免费帮《南都娱乐周刊》写稿，石沉大海。今天，无心插柳柳成荫的专栏名字被印在了封面上。

想起这几年，好多好多人心存善意地对我说：刘同，你可以稍微低调一点吗？可以稍微不要那么浮躁吗？可以把自己的喜悦隐藏一点吗？

我果然是做不到的。正如，我给自己写了一篇微博纪念这个外人看起来其实也没有多大事的日子，但于我而言却是一个巨大的礼花。

我常因无趣的事而有趣。也常跟无意义的事计较。我活在自己的小世界里，自己和自己演着丰富的内心戏，拿着自己的最佳影帝，常年连庄，理所当然。

我把不相熟的人犯下的错误在团队会议上恣意分享，也想过或许传出去会被人灭了，但天性顽劣又易于满足，所以内心里并不那么循规蹈矩。

我对 Boya 说：其实这些年，更辛苦的事情并不是自己的坚持，而是如何纠正他人对自己的看法。这种纠正不是因为在乎他人，而是不想委屈自己。他说他懂，大致是所有的一切都需要对得起身体里的那个自己，既然真努力了，就不想被人看得太低。

其实被人看低不用太在乎。关键是被谁看得低。被一个有价值观有判断力的人肯定，比被一百个旁观者、路人否认要满足得多。人总有一段时间，只在茫茫人海中，寻找这些有价值的人的肯定，以及习惯旁观者的背景音。

看来，我常用一些细微的变化来告诉自己一切值得。好笑，又觉得好苦。但很好。

2012 年 10 月 6 日

生活怎么有那么多奔头

中午12点的阳光强烈得吓人。没有一丁点儿想吃饭的欲望。

心情差得很。昨天终于又去上了一次英文课，张嘴半天一个屁词都说不出来，脸应该是迅速就涨得通红，我想我的老师Michelle应该很不愿意教我这样的学生吧，不管你花多少时间，他说忘记就忘记，想上课就来上课，烦都烦死了。

想起这几年，我唯一坚持做下来的事情只有写字。那还是因为写字只需要用电脑，那也只是因为对于写字我一点都不觉得自己很累。而那种让自己觉得很累，但是又努力克服的事情几乎是没有的。

遇见再喜欢的人,对方如果第一次没什么好脸色,我也就逼自己“自杀”了。倒不是年纪渐长的原因，而是懒得努力，懒得解释，懒得花时间。不是说了么，好多好多美好的事情，就应该遇见，而不是追逐，或者等待。

又想起那个减肥成功的朋友了。我从小就喜欢看那种能够变身的动画片，管你之前是个什么人，但变身之后你就活得特像人。我就一直很希望自己的人生有这种反转剧的效果，可我啊，一切事情都是慢慢的慢慢的，才变化。就好像把青蛙放在凉水里，然后一起加温。游着游着，就熟了。一点死的痛苦都没有。嗯，我好像就是这样，一切都是慢慢的，虽然没有什么不好，但就是希望来一点反转剧的效果。哇，掀开T恤，6块腹肌。在机场被人用英语侮辱，然后张嘴四国语言轰回去，那才有点意思。

每次幻想起这些场景吧，心里就特别开心，觉得生活好有奔头。

生活还有奔头，会让每一天变得都有一点追求。

总是有种寂寞感

一次说走就走的旅行，和一个说爱就爱的人。

貌似我都经历过了。

周末，朋友说我们去西双版纳过泼水节吧。

于是第一天下午到，第二天下午走。

不过 24 个小时，却发生了很多像两个世界的事情。

嘉男开着他改造得不伦不类，写满了拼音英文夹杂的中国云南之类的字句的车，沿着玉米地芭蕉林橡胶林，留下我仍错愕的神情绝尘而去。山林里的穿梭时常让我乱了方向感，而 87 年出生的他像个野孩子一样掌握着方向盘，凭的不是眼睛，而是手底的惯性。

清晰的眉眼，被晒得过度健康的肤色，在他一个又一个急转弯之间显得格外耀眼。我问睿，嘉男和她认识的过程。她说：上一次她到西双版纳，旅行社安排他接的她，后来他们就成为了朋友，他是个特别好的孩子。

这个特别好的孩子并不是本地人，而是十几岁时从湖南跟着家人到这里定居。他使用过最高科技的产品就是他的那辆国产被改装的轿车，其余的，都是我们在使用，他在提问。

他的这辆车还未成为他接待游客的专车时，他便喜欢一个人开着车沿着国境线一直往前，有时自己也不知道到了哪里，只知道西双版纳比他想象中更藏有风景。或许是情绪大于词汇，我们一开始对于西双版纳的期待，完全来源于他的神态——究竟是要有一片怎样的景观，我们才会像他那样，享受的同时又感到自我的渺小。

那是老挝边境一大片望不到边际的蕉林。下午的日光被云层压得极低，第一次感觉阳光不是照射，而是扫射过来。走在蕉林的小路上，影子被拉得像思念那么长，每一个动物都清晰无比，包括我对睿做的那个 OK 的手势。

当晚在微博上写：你何时见过这样的景色，整个世界里似乎只有你一个人。往往这时，你就希望有一双手可以牵，有一双耳朵听得懂你在说什么。人很寂寞，所以你印象中才会有那么多已逝去的背影。

没有真正的充盈，亦无真正的孤独。任何种类的自我充盈总会跟随着突如其来的孤独感。而常常的孤独又总伴着隐隐的快意。尚在读大学的我，表现得像个文匠，我记得那时会写：孤独不代表寂寞。孤独是自身追求的某种独善其身的快感，而寂寞则是灵魂都无歇脚处的凌乱。对于还在读大学的我而言，这样的解释真是让自己佩服了自己好一阵子。现在看起来，年轻的时候，孤独和寂寞确实是两回事，寂寞和孤独比起来，确实又显得不那么好看。

可现在，孤独仍旧是孤独，但是寂寞变得已不那么寂寞。以前寂寞的底线是自己都无法和自己对话，而现在寂寞的底线则是自己对自己说出来的话听不到一点回声。

因为这种寂寞感，有时你就特别想找到一个能够听得懂你说话的人。我们总说那个人就是另外一个自己。真的有吗？即使有，谁会愿意为了成为另外一个你而牺牲自己呢？

在这个和平的年代，谁都不想牺牲自己成全对方，于是“寻找另外一个自己”成为了“让你到临死前还在追逐梦想”的谎言。

我的勇气来源于他

大炳不在这个世界上了。

我开着车，旁边坐着人，我貌似随意地说完这句话，然后眼眶便湿了。

那时我刚到北京，每天靠看台湾的综艺节目打发时间。偶尔也会学里面耍宝的招式。比如我曾经很拿手的吞拳头，便是跟大炳学的。

后来他吸毒被抓，我也在心里希望他赶紧好起来，每次新闻里对他的报道，哪怕只有几十秒，我也会停留。无论他在哪里，是否戴着鸭舌帽，是否因身材瘦小而蜷缩一角，奇妙的是，在我看来，他一直都闪着光。

做嘉宾时，他说的话总是出人意料，表演时，总是大放异彩。他的表演，我总是一遍又一遍地重播，还有人说我和大炳长得很像，我会很得意地点头，然后继续练习我的吞拳头。

每个少年都有几个偶像，大炳便是我心里那个。从来不怕被人嘲笑，从来不掩饰自己的缺点，极力表达自己的内心，同时，敢为自己想做的事情倾其所有的劲头。也许，正是因为他常被人讥讽，也许，也是因为他从不在乎这些。

这些，是除了吞拳头外，我在他身上能看到的所有。

那天看到一句话，一个人的完美，恰恰在于他敢于呈现他的不完美。

他的完美便是如此。哪怕之后他吸食大麻，沾染毒品，他每一次的道歉都让我对他的复出充满了期待。

只是没有想到，等了很久之后，今天便得知了这样的消息。

他也是有一群要好的朋友的，同一个班级，同一个群体，同一个行业，不同的命运。当他们一个又一个成为了当红歌手，当红主持人，当红演员之后，他仍以其貌不扬的长相争取每一次3000元的出场费，卖力演出。

吸毒之后，他说他可以先做幕后，拿8000元的工资，等到合适的机会再复出。我相信他所有的话，他不仅是家里的长子，也是家里最重要的收入来源。

后来我的工作忙了起来，他参加的节目也少了许多。算了算，其实我也有五六年没见过他新的节目了。但他仍像朝阳一样的在我脑海中存在。

新闻上说他肺部感染导致离世，说法很多。其实怎么走的，我不在意。我只在意，他36岁离开，以他的性格是否会觉得不甘心。

我并非他的死忠，也不是他的朋友。作为在角落里一直喜欢他的人，我不知道他离开后，有多少的粉丝会因此而流泪，也不知道这样一个天赋异禀的综艺嘉宾能享受多高的离世礼遇，但他生前最想得到的应该是掌声，此刻，他最想得到的应该是哭声吧。

我翻出了我2005年5月21日写的文章，里面写的满满都是他，7年前我印象中的他。

2005年5月21日

每个节目都是为了一个人而生的。

“百分百”三个人看的其实是小猪，“我猜”三个人看的其实是阿雅，“天才”很多人看的其实是吴宗宪，“电力公司”看的是蔡康永，“康熙”看的是小S，种种种种，尽管在这些节目中他们互相会搭档，有人会参与，但永远不如一个人在其中的位置。

有一个人叫大炳，就是那个可以把拳头放在嘴巴里，全身骨头软得近似全部断裂，喜欢模仿，喜欢创新但不太好看超级有自信的男主持人。

我一直是喜欢他的。我也一直认为他最终会出来——就是像小S那样，找到自己的节目把完整的自己淋漓尽致地发挥出来。然而在华岗毕业的众人都逐一有陶子的风范，逐一取代陶子成功的时候，众人里却没有大炳的身影。

重新看了3期他上“康熙来了”的录影，和以往一样，我还是笑得死去活来，看完突然就明白自己想不通的原因了。

虽然人人的脸上都挂有笑容，小S是放肆的笑，蔡康永是恍然的笑，只有大炳的脸上像是隔了一层阴郁的滤纸，连强装都不愿意。他太明白自己的角色和定位了，于是在任何时间和自己不停地计较，不允许任何的小纰漏在自己的思维里遗漏，任何的故事都有头尾，任何的笑话都有始终，活得太明白，被赋予了人精的称号后却又固执于此，不愿放弃。

他是很努力的，从他的表演和他对自己工作的态度可以看出来，对自己喜欢做的事可以花上一星期又一星期的工夫，无论是模仿秀还是针线活，他把自己催眠成人中人，挑战一切别人做不了的事情，虽然最后获得了掌声和成功，却再也无法做出更大的超越了，也无法像他的同学阿雅、小S那样，他也许也明白只有超越了自己才有可能让自己更快乐地活着，然而我相信他是做不到。虽然他从刚出道便以此成为了颇有潜质的主持人，而后的时间，他完全沉浸于其中，不对事物有任何的妥协，只以自己的喜爱为一切的判定准则。

因为太过于逼仄自己，所以他有了今天，也因为太逼仄自己，所以他有很难预料的明天。

想明白之后和要好的朋友讨论，得出的结论大致如此。正如他一直都是伶牙利齿的楷模，让周围的人有欢乐的动力，而他自己却在不停地强迫自己，将自己套在角色里无法自拔。可是这样人又能如何自救呢？我们说大炳说话快是因为他嘴巴大，他的舌头可以在无限的空间里自由游走。我们说谁和他接吻一定可以捆绑上天堂，因为他的舌头灵活。我们还说和他做朋友一定很开心，因为他是一个喜欢践踏自己，拿自己来取悦他人的人，因为他懂得让别人快乐的真正方法。这些都是我们说的，他对此只是付诸一笑，转身罢了。

人都有自己的悲哀，何况是艺人。

而我的悲哀是：经常有好朋友对我说，来，学大炳吞个拳头给我看。(因为我真的可以……)

2012年7月24日星期二，突然想起来，除了吞拳头，我在公司年会上跳了《舞娘》，勇气也是来源于他。

有信仰的人，总是积极的

缺氧。沉入越来越深的海底。

不是因为心情，而是越来越多的工作。

连转身的时间也没有。

做着一些貌似不适合自己的事情，比如脱口秀的主持。但现在早已经不是几年前，做任何新鲜的事总是会担心。现在也明白了，很多事情。只要相信你的人觉得可以，你自己觉得可以，那件事情就真的可以了。

所以，一旦放弃，就浪费了信任和信心。

撑一年，总得会有一些进步吧。起码，我的普通话比上个月进步了一些。

试一试，每天写5000字的感觉。吐血了都。

31岁了啊，我对同事说，我都31岁了，居然又回到了10年前刚进电视台的样子，唯一不同的是，那时写稿子给主持人，现在写稿子给自己，这算是进步了不是么？

新卫视节目，新电影宣传，新书写作，我妈说你干脆缓缓吧。

但别人都看得起你的时候，你不珍惜，以前你不是每天烧香求菩萨让人看得起自己么？我妈想了想说对哟对哟。

小怪兽又送了我一张李宇春的CD，这一次我收了下来。上一次，她还没有发工资，这一次，她可不缺钱。

有信仰的人，总是积极的。

加油！鸡血哥！

给这十年的你，旁观下一个十年的我

从1999年离开家到现在已11年了，11年的时间其实足够改变一个人了——我曾经也是这么以为的。可是现在看来，我一点儿都没有变，高兴了就狂浪，难过了就猥琐，投入了就哭得昏天暗地，从来不会有另外一个声音提醒自己：你应该怎样怎样。搞得自己跟演鬼片似的。凡事，我都是预先想好，然后启动程序，中途才不可能又出现一个声音碎碎念提醒自己，我觉得但凡有那样念头的人都是事先不做功课的人，容易分心，不投入。

投入，这个词，很重要。

投入去爱，投入去工作，投入去憎恨，投入去苟且，投入呼吸每一口空气，能分辨出氧气的成分和阳光的温度，投入把一生切成一个一个你说得出来的形状，然后炒一盘热菜，吃下很多碗饭。

明天就要回家了。订的是机票。

几年之前，我乘飞机的次数还很少。

然而这两年开始，每个月都要来回飞。常常在想，如果是要自己花钱的话，打死都不会坐飞机吧。可是，从今年开始，我也终于狠得下心花好几千块去订往返的机票，只是为了节约一点路上的时间，那种期待回家的煎熬，比爱情的拥抱更令人焦心呢。

时间不是杀猪刀，不会刀刀割肉。时间不过是围墙上斑驳的阴影，因为日照而改变形状，最终，你依然是你。

越来越强烈的感受是，其实这个世界并没有自己想象中那么大。有时候，努力伸手便触到边界，才明白，很多事情并非是不能被改变的狼狈境界。

这些年，有人辞职，有人创业，有人旅行，有人放逐，有人寻梦，他们坚定地换了方向继续奔跑，那算是另一条人生的旅游线路吧。我一直觉得自己走的这条路游客太多，制度太严，消费太高，其实走着走着，当你比别人走得更远时，你所看到的便是你未曾想过的。

若你足够了解自己，你不必远行，在心里便已环游这个世界了。

Ann 是我大学的学姐，我们相识超过 10 年。她对我最高的评价是：当周围的一切都会改变的时候，我唯一能相信永远不变的就是你。

为了这本十年成长纪念的书，她写了一封长长的信给我。就像当年的我窝在一层的出租房内给她写信一样，字字句句刻画出的是心。

如今在办公室里，我以全拼的方式贪婪地读着她写给我的每一个字，就像——认真地吸了一口空气，氧气的含量和阳光丈量的尺寸，都静默于胸，尔后有泪。

也许，这并不是真正的我，也许这里面有一些落魄情节连我都忘记了，但我相信这一定是她眼里最完整的我。

十年的青春轨迹，总得盛开个一两朵沉甸甸的花吧。

不完全鉴定报告

十年的你

一直在阳光下的剪影

大学中文系的学姐 刘昂
搜狐上海站内容部主编

柏杨说，年轻气盛时，命运即便是老虎，屁股也是敢摸。年岁渐长，命运飘忽不定，翻手为云覆手为雨，人大抵也没了与之挣扎的底气。此话不假，却不属于刘同。

努力如他，付出如此沉甸甸的筹码与志气，所谓运气和命数，并未多青睐亦不敢随便责罚。他踩一对风火轮，遇山开山遇水涉水，从山穷水尽到柳暗花明，世人眼中是风光，我却只看到缝隙里琐碎的疲倦、痛苦，及屡败屡战的坚持。刘同无关完美，只是，他能努力至极致，将不完美变成完美，化缺点为优点，像功夫小子，无天资有野心，每打输一架，回家舔着伤口日日勤练，然后返来再战一回。

大学四年,他已然锋芒灼灼。一手烂字一副超薄身板,挡不住内心勃勃生机,雀跃着写稿、出书、参加唱歌大赛、辩论比赛,哪忙碌往哪扎堆。布袋裤斜背包,球鞋或慢跑鞋，永远挂耳机，听古巨基徐怀钰，将无印良品的《掌心》一路唱到决赛。没头没脑借五十块钱，吃十块盒饭买四十块靓衫。白衣蓝牛仔，骑自行车穿越校园，绯闻漫天如樱花。想来，那年月不能没有他。我们站在彼此回忆里，没有天大地大的抱负，仅是些微闪亮无法躲闪的温暖命运。口味虾、打口碟、游戏机、见网友、堕落街、豆腐炒鱼、文学院 217 教室，就是这些，还有这些。

出国前夕，他执意道别。长沙闷夏，五一大道星光通透，沿路走半里二里，到底年轻，只知跃跃欲试，并无伤感。末班立珊线扑哧扑哧进站，他开始追跑，小鹿样跳跃，晃荡右手，身后背包上下颠簸。——“再见！再见了！”他的声音迅速淹没于滚滚城市烟火，那般没心没肺。明日天地，异国他乡，何日再见呢？我不知，不能面对面说出的离别，到底有多难过。少年背影，怅怅记得，逆光奔跑，仿若磅礴江风里呼啦出羽翼翅膀，孤独也倔强。

那段时日，八小时时差。刻意亦或有心，我们常有通信，不间断地联系。用文字描摹，自动屏蔽不愉和不悦，我们邮递给对方祥和及锦绣花团。怎么会呢？他写来：辞职宅于出租屋，钱包瘪瘪。书稿不断否定，被伤害至心惊肉跳。没日没夜啃书准备考研，眉毛忽然开始掉，或许是鬼剃头。午睡小院沉寂，偶有小朋友嬉笑和鸡打鸣。我端着电脑，千山万水外，心酸眼潮。生活展开筚路蓝缕，谁不是赤足前行伤痕累累。在那本千辛万苦的书里，他一直问，青春是什么？想来，当时回答多么仓促和矫情。成功是一出太过诱惑的大戏，他踮起脚尖奋力触摸，掩耳盗铃般却全心全意。

再见于冬天的北京。那么骄傲，披“北漂”外套，亦能取暖。做电视、写文案、剪片子。多晚回，也督促自己磨笔写字。陋室比邻雍和宫，鼻端杳渺香火气，白日浑厚钟声里，蛰伏待发的等待，略有苦涩，仿佛没完没了。某晚陪他去与上司谈加薪，他遍遍重复说辞，字字如针扎得舌尖跳。零下冬日，踌躇门外，路灯昏黄，碎雪乱撞。出来后，他颠颠永远笨重的包，若无其事拍拍我肩——没谈好。仰望北国夜空，深邃莫名，我想，会过去的。确实如此，今时今日自彼时启程，他到底没辜负自己。

流年若干，北京上海，我们各自为营各自生活。邮件电话，少之甚少。所幸，难过彷徨混沌时，随时随地拨给他，始终如一。朋友人来人往，流言来来去去，听了就忘却吧。把彼此安置于安全位置，小心保护，无论外在撞击几何，时光凝成最坚硬的核，野火烧不尽春风吹又生。

生活继续，结尾无法成为结尾，留一段当年的信，且当结尾：

残留昨天能清晰想起你，单薄留有高中记忆的头发，张扬着新进大学的新鲜和雄心那样跳跃着。不小心，这么多年过去了，我们没有刻意，居然一直安静走了过来。你看着我失落、失败，看我轻轻地离开，这么多朋友里只有你一直看着我怎么走过这几年，青春最盛开的季节，现在也只有你，陪我慢慢体会这水样流过的日子，一直自称是你的安姐，其实哪有。

2011 年 1 月 4 日

Ann@ 上海

五年的你

不过是人间的一粒沙

教我如何保持小清新的师父阿 Sam
1626 潮流杂志执行主编、摄影师、
畅销旅行书《去，你的旅行》作者

我不算是一个记忆力非常好的人，五年不长不短，如果谈了一场五年的恋爱还没有结婚算长跑，如果分一次手五年还没有再开始新感情叫孤单，如果 24 岁刚大学毕业人生起步，29 岁应该是小有成绩而立，五年真的不长不短，刚刚好，认识一个人也应该是这样。

对于天秤座的我而言，很多人觉得我有无数的朋友，而这么多的朋友里刘同应该是最特别的一个，因为男生里只有他叫我“师父”！这两个字放在古代可是和父母一样重要的地位，当然我不是需要他对我如此，但是足可以感受到彼此的小宇宙和细微的小情感。

那种情感应该是五年前我们在网络上拍照聊天、不敢吃太贵餐厅、不敢去很远地方旅行的小青涩，所以要我回忆一下我们的五年我觉得有点为难，要说的事情很多，版面很少，当然应该还有比我们友谊更久的朋友，只是人和人之间很奇妙，充满着微妙的费洛蒙的情感因素，那这五年他都在干什么？

那一年他写了书，是一个青春的系列，我刚好就为那个系列拍摄了封面，说出来有些绕口，但我们真的是因为这个机缘以及博客这个平台开始建立起联系，还真的是以文字建立情感，不像那些酒肉朋友吧。当然我们后来经常见面的方式都是躲在城市某个小酒馆里，说些家长里短和不太对其他人说的小秘密，说完就放在心里埋了起来，这样的感受很舒服。又是一个夏天的午后，他独自从北京跑到了上海，就在我公司的楼上，用我三脚猫的技术和相机为他拍了《离爱》的封面，至今想起来我们真够胆子的，没有化妆、没有造型，也没有打灯，就是一台相机外加一颗冒险的心，这应该也是我心目中徒弟的样子，瘦小的身体里隐藏了无限大的能量，像只不怕死的蟑螂，不管丢在哪里都勇敢又坚强地活着。

说起为何会有这么一个“徒弟”，我觉得有些惭愧，时至今日我也没有教会他什么，他喜欢摄影，希望我可以教他拍照，于是在多年前的一次北京聚会后，在簋街的某个餐厅里，他跪在地上半开玩笑地认了我这个“师父”。说是开玩笑，但似乎后来大家都很把这个事情当回事了，从那以后他就改口叫我师父。每次有人问起我到底是教他什么的师父，我都无言以对，因为我真的没有教过什么。在我看来，他就像是充满能量的机器人，一直不能停下来。他其实朋友不多，大部分时间都用来工作以及写书、写博客，我想一个人成功的背后一定深埋着巨大的孤独。他很少和我提及感情，哪怕说起也是只言片语，那些情感啊，其实都在这本厚厚的书里。

有人说他年少轻狂，我会笑着说年少不轻狂还等老了再去狂吗？如果我是三毛我会送你一匹马，如果我是摄影师我希望可以帮你拍摄最美丽的风景，人生永远是自己规划的，很多时候我只能默默地站在那里看着他一天天成长，然后开花结果。

从出生那一刻我们就好像是一粒沙，随风飘散，相聚又离开，只是为了看看这尘世间的一些真美好，希望你越走越远。

一年的你

我和自己的不期而遇

30 岁时认识的好友陈默
宝洁大中华区公关总监

我一直相信有一些非物质的力量是或依附或脱离于我们的肉体而存在的，譬如灵魂或是其他种种。只不过我们今天的认知水平尚不能通透地解释这些事物。就如同在人类发现 DNA 前，这个学名为脱氧核糖核酸的物质一直默默地主宰着人类乃至整个地球生命的遗传与繁衍。你不知道它，不代表它不存在。

与同同的相识便是一场没法解释的过程。我们开始用很俗套的语言来描述这种相识，比如“缘分”。但到后来我们都发现有些事用缘分解释，委屈了缘分这个词；而有些事用缘分解释，却委屈了这件事。巧或不巧，我们的相识属于后者。

2010 年的一天，具体说，以我超好的记忆力来回忆，应该是 2010 年 5 月 4 日，那天我正休假在家，坐在临窗的书桌边浏览着当时刚刚兴起的微博——那时候，不过才关注了三十个朋友而已。窗外淅淅沥沥下着雨，不远处便是灯红酒绿的都市和车水马龙的三环路。忽然微博弹出小窗口，有人加了关注并且直接发来私信问好。

这便是同同。严格意义说我们是“网友”，并且是在网上遇到半年后才有过第一次碰面的网友（尽管我们身处同一个城市）。而今回想当初，他加我的原因是：刚在出租车上看到某本杂志对我的采访，然后晚上上微博的时候突然发现主页上“你可能感兴趣的人”列表里赫然是我的名字与头像，于是鬼使神差地点下了“关注”。而很少主动加陌生人的我，则是因为几年前曾经刚好看过一个和同同同名同姓不同字的“朋友的朋友”的博客，觉得他们说话的感觉十分相像，而谁知道，同同在几年前，曾用过另外一个字做名字，他根本便是那个博客的主人。

我们认识很久都没敢见面的原因是觉得两个人太相像——这不是一句空话套话客气话，下面我从科学的角度来解读一下“相像”的表现。

从定性研究的角度说：

❶ 我们在 MSN 上经常先后不超过两秒钟发给对方一句意思几乎完全一样、仅是措辞略有不同的话。

❷ 我们会表述对同样一个字（例如“哦”字）的厌恶情绪，即便这种事情在一些人眼中不过是吹毛求疵。而我们厌恶的原因竟然也是相同。

❸ 经常性地，他打电话给我，发现占线中，而我当时其实正在打他的电话，也是占线。

❹ 我们说话前会想一下是否还需要说，或者是否应该大面积略去解释性的词语，因为知道对方会懂，不需要解释。

从定量研究的角度说：我们分别做了更新版的普鲁斯特问卷 (Proust Questionnaire)，是二十八道题的加长版。这是一个探究人类生活、思想、价值观及人生经验的问卷。交换答案时发现，仅有一题，因为我没有回答而答案不同，而余下的所有题，答案完全一致，相差的只是措辞而已。我们俩的问卷答案附在后面，供比较。

而后来，我们终于见面相认后发生的一系列大小故事，就更是这种“相像”的极致体现。直到有一天，我们坐在餐厅里吃饭，等东西的时候交换了 iPhone

玩对方的游戏。我打开同同的手机，发现要输密码，我当时饿得走神儿了，想都没想便直接输入了自己的密码，而后的那一刻，在我意识到应该有错误发生但却意料之外地成功进入了他的手机后，我便石化了。

于是同同在我的惊诧下在我的手机上输入了他的密码，于是他也被石化了……

后来类似的事还有很多，我们从开始的大惊大喜到后来的相视一笑再到现在的见怪不怪。其实，现在，遇到什么想法特别不一样的事，我们反而要唏嘘讶异一番了。

所以和同同做朋友是件特别轻松的事——我们在一起的时候只需要有一个人动脑子便足够了，另外一个人只需要点头便好，因为那种懂得与默契可以禁得起任何事情的考验。有人说人世间最难的事，不是我爱你，不是我赞美你，而是我了解你。而比“了解你”更难的事，便是“了解自己”。和同同的相识让我开始懂得了解别人的乐趣，也让我更加读懂自己。

所以每次读到同同写的小说我便总是泪水潸然，那个完全不同的时空里曾经或真实或虚幻地发生的故事，总能让我深入骨髓地感同身受。最变本加厉的，是只读到秋微姐的序时，我便已经泪如雨下，读过的朋友一定会懂，没读过的朋友还等什么？

曾经有人——甚至是很近密的朋友问我，怎么会和同同这样一个看起来急躁、冒进、冲动、爱出风头、耍小聪明、和一些人关系很僵的人成为这么好的朋友，甚至还用“相像”来形容自己与他的关系。我一直没回答过，这里统一做个说明——以后也请不要再问我类似的问题了，懂的人一次就会懂，不懂的人就不懂下去吧。

因为我感受得到他自始至终的彻头彻尾的真诚，这种真诚是我愿意用任何代价去交换的，更何况这种真诚根本交换不来，是无价之宝。而在这种真诚之上的更宝贵的东西，则是“了解”与“懂得”。得此知己，夫复何求。

所以在我眼中，急躁、冒进、冲动、爱出风头、耍小聪明、和一些人关系很僵，不过是“爽快”、“积极”、“敢作敢当”、“有荣誉感”、“高智商”以及“疾恶如仇”。

同同在北京十年了，秋微姐在之前一本书的序里曾经说，于很多背井离乡来到北京的人来说，这里是职场而不是家。我却希望能因为有我们这些朋友的相互陪伴，无论走到地球的哪个角落，只要我们在一起，那里便是家。这便是我，这一刻，最单纯的愿望。

默默和同同的普鲁斯特问卷(Proust Questionnaire)，猜猜哪个答案是我，哪个是他？

① 你认为最完美的快乐是怎样的？

A1：每天结束时都没有值得后悔的事情，哪怕闭眼就是末日，也觉得毫无遗憾。

A2：不怕死，也不怕活着。

② 你最希望拥有哪种才华？

A1：像电影里的那些人，拿到电脑就可以敲击出不一样的界面，然后噼里啪啦可以进入另外一个陌生的世界，阻止一些很恶劣的程序，操控现实。而现实的我吧，除了会把电源拔掉就没什么办法阻止了。

A2：可以操纵一种很大的机器，比如飞机或是太空飞船。在我看来，这不是一种技术，而是才华。

③ 你最恐惧的是什么？

A1：小时候想到死亡就觉得恐惧，现在最恐惧的事似乎没有。不太怕事情发生，我都做好了相应的准备。

A2：没准备好的死亡与离散。

④ 你目前的心境怎样？

A1：很平和愉悦。

A2：积极的平和。

⑤ 还在世的人中你最钦佩的是谁？

A1：我心目中最完美的，没有具象的人，因为任何人接触深了都有不可避免的缺陷。如果一定要说一个，那就是我的爸爸，他可以养大我，可以把我教育成这样，可以让我明白很多道理。我觉得他很了不起。

A2：不予置评。

⑥ 你认为自己最伟大的成就是什么？

A1：到现在为止，我觉得最骄傲的是，大多数同事都愿意和我一起共事，并觉得有安全感。能给人带来安全感，是一件很令我开心的事情。

A2:在任何时刻都有很好的定力。无论多大压力，有个枕头便可以很快睡着。

⑦ 你自己的哪个特点让你最觉得痛恨？

A1：太容易对人产生好感，所以常常采取闭关锁国的政策，谁都不爱搭理。

A2：偶尔的拖拉。当然，前面的形容词很必要，因为毕竟我的火星落在狮子座，绝大多数时候行动力指数还是很高的。另外就是常常对人太善良。

⑧ 你最喜欢的旅行是哪一次？

A1：每一次和朋友们一起进行的旅行，一起昏睡，一起摸索，一起发癫，每一次和朋友们一起出发的旅途都很喜欢。回味起来格外爽。

A2：尚未发生。不过每次和朋友们的旅行，最快乐的时间通常是倒数第三天的时候，总会因为旅程即将结束而带有无尽的珍惜，然后却又因为还有两三天的时光可以挥霍而感到无比的快乐，这个定律，屡试不爽。

⑨ 你最痛恨别人的什么特点？

A1：欺骗和背叛，不表里如一！

A2：欺骗与背叛。

⑩ 你最珍惜的财产是什么?

A1:朋友们对我的信任和爱护。

A2:感觉。形而上。包括“懂得”、“了解”、“信任”和“欣赏”。

⑪ 你最奢侈的是什么?

A1:能够把爱好与生活工作统一在一起,每天神仙般的过着生活,丝毫不觉得劳累,拥有大多数人体会不到的快感,并努力传达着这种态度。

A2:拥有不是“围城”的东西——自己走进去不会想要逃出来,别人也并非是因为未曾拥有而感到羡慕。

⑫ 你认为程度最浅的痛苦是什么?

A1:朋友伤害我,任何伤害都是痛苦,不分深浅。除此之外,没有什么事情值得我去痛苦。

A2:因为时间的缘故而遗忘掉最重要的东西。这其实是很深很深的痛苦,只不过,你感觉不到,所以,我说它是程度最浅的痛苦。

⑬ 你认为哪种美德是被过高评估的?

A1:情商。

A2:情商。

⑭ 你最喜欢的职业是什么?

A1:如果我做的是一档能够到处旅游的节目的话,那就太完美了。

A2:该上班的时候想上班,该下班的时候想下班的工作。

⑮ 你对自己的外表哪一点不满意?

A1:身材,其实我也觉得偏瘦了一点,我要练一些肌肉出来。

A2:我从小就戴不上帽子……

⑯ 你最后悔的事情是什么?

A1:迄今为止,没有。后悔的事情,事后我都会弥补。弥补不了的,我都不会后悔。

A2：我有遗憾，但不后悔。

⑰ **还在世的人中你最鄙视的是谁？**

A1：任何你鄙视和讨厌的人，都有你的某些特质。所以我现在已经不会花时间浪费在这个事情上了，做自己一天，比讨厌别人三天效果更好。

A2：我不费神费力在不值得的人身上。从不。

⑱ **你最喜欢男性身上的什么品质？**

A1：让人有安全感，能信任。

A2：有肩膀（肯担当）。

⑲ **你使用过最多的单词或词语是什么？**

A1：真的啊？这个现在最多。以前有个口头禅很讨厌：你明白我意思吗？

A2：好的。真的吗？还有一个是让大家很讨厌的中英文混搭版："你有没有get到我的point？"

⑳ **你最喜欢女性身上的什么品质？**

A1：不矫情，不做作，不把自己当女人。

A2：大气。

㉑ **你最伤痛的事是什么？**

A1：被朋友误解。

A2：和亲人与朋友的离别。

㉒ **你最看重朋友的什么特点？**

A1：朋友啊，就是讲义气很靠谱，什么都能托付。

A2：不计较的朋友关系。不计较彼此的付出，不计较无心的过失，不计较是很重要的态度，不是装出来的，不是停留在口头而是记在心中的，是真的不计较。

㉓ **你这一生中最爱的人或东西是什么？**

A1：我最爱我父母了。

A2：我手机中能够快捷拨号的那些人——尽管他们的电话我其实都记在心里。

㉔ 你希望以什么样的方式死去？

A1：安乐死，和好朋友都告别了，然后就安乐死。

A2：有准备的，我想要和一些对我很重要的人真诚地告别，然后有些时间可以独处去回忆过往的那些事情，最后，在睡梦中安乐死。因此，我一直支持安乐死有限度的合法化。

㉕ 何时何地让你感觉到最快乐？

A1：和最重要的人在一起的时候，看到他们都很快乐，我就巨快乐。

A2：随时随地，但是人要对。快乐为什么要加上时间和地点的限制？

㉖ 如果你可以改变你的家庭一件事，那会是什么？

A1：没啥可改变的，我对现在的一切都挺满意的。

A2：小时候不应该为我请保姆。

㉗ 如果你能选择，你希望让什么重现？

A1：那就让外公、大姨、爷爷都复活，然后大家要一起团聚一下，他们走的时候，我都不在他们身边，我要告诉他们我的感受。

A2：年华。包括很多东西：最美好的记忆，可能已然离散的朋友，阴阳永隔的亲人，无忧无虑的生活，单纯的感情。不过还是别重现了，失去了才觉得美丽，那年那月，我们其实并不懂得珍惜。

㉘ 你的座右铭是什么？

A1：信自己，得永生。

A2：凡走过必留下善意痕迹，选择做便尽力做到最好。

七年的你

是我最好的礼物

22 岁时认的姐姐秋微
知名作家，媒体人

作为一个宿命论者，我坚定地相信，这辈子，所有跟你遇见的人，不论谁，都不会是没有缘因的。

是什么缘因让我和刘同彼此遇见，我尚未得出答案。唯一能确定的是，我们之间，大约应该算是个“孽缘”吧。

上上上个月的某一个深夜，我正在敷着面膜看八卦杂志。电话狂响起来。

在深夜给别人打电话的，一般就出于两种情况，要么是出了什么不能隔夜的急事儿，要么就是这个人跟你关系近到可以不在意时间，也可以不用在意你旁边有谁。

电话是同同打来的，响了很久，我用了几分钟时间犹豫要不要接，到那天为止，我们陷于冷战已经有两三个月之久。

在那场空前的冷战之前，我们常常在各种不按常理的深夜时间通电话，且绝对没有什么“不能隔夜的急事儿”。

听起来很有笑果哈，“冷战”这种通常只会出现在情侣之间的情况，被我们姐弟使用得出神入化。

电话铃持续，我犹豫到半截儿，还是接了。

同同当时在另一个城市，正跟几个朋友在一起。

他喝了酒，很明显没完全醉，在电话那头用半真半演的调调一口气对我连哭带说了二十分钟。期间十九分钟他都是在陈述我的诸多“不是之处”。

刘同是这样一个人，每当他想要很认真地陈述别人的不是时，都像是在发嗲，且腔调一定是他特有的湖南郴州普通话，所有的词儿跟词儿之间都用一些意料之外的小甩腔黏合在一起，大段大段地听依稀都能听出些近似旋律的起伏，让一个只会说普通普通话的人如我完全没办法打断他从中段插话。

而他对我的投诉，很多我都完全不同意。

我就这样气儿始终提到喉咙，随时要发作地听了19分钟。之后，他忽然逆转，以一个出其不意的小停顿作为快速过度，紧接着再用高出几个分贝同时慢下半个语速的另一段起头，说了以下这句话：“我就是要告诉你，你是我全世界唯一的姐姐。亲姐姐啊，啊，啊……”

后面的那几个“啊”，又变回了湖南郴州式近似旋律的小甩腔。

其实，从认识刘同那天起，很多的时候，我都暗自怀疑，这个人，也许，真的是我亲弟弟？

要说明白这事儿，还得补充一下那个冷战的起因。

要说明白冷战，还得再补充一下冷战前的人物背景。

十年以前，忽然有那么一天，有一个当时名字还是“刘童”的人辗转托朋友找到我给他的小说写序。

那是我人生第一次碰到有人央告我作序，我内心不禁一阵窃喜，决定要矜持一下，所以拖了很久才交稿。后来那本书出版了，名字是《？？》（哪个吖？）

我没买，也没读，心想那不过是一个跟我一样对文字有着一些不知深浅的热爱的小文青吧，本以为萍水相逢就此作罢。

未几，同同几次电话执着约见，彼时我跟多数正常的女人一样，越被捧越要拿劲儿，特别需要别人的溺爱来证明自己的存在。

又拖延了一阵之后我们最终见了，见面的时候还有一堆别人，互不相干的那种。

有好多年我都会做这种不着调的事儿，把跟自己交情深浅不一，来源七方八面的朋友没主题地组在一起，二三十人是常有的事儿。

这期间，有人因此谈成了生意谋到了职，有人因此千里相会成为情侣甚至夫妻，也有人因此确定我太不着调而后会无期。

乃至于我常常觉得，我来到这个世界上，其中一个重要的意义或者说使命，就是充当一个媒介，让一些人因为我而遇见，然后因为他们的缘分，以不同形式在一起。

在这些闹哄哄的他唱罢他登场的过程中，能完全留下来组成我自己生命中的某些特别情义的，客观地说，十分有限。

同同是其中的一个。

他那天出现在我的数十人的饭局中，还被我错认成别人，也没生气，挺安静地留下来，后来就一直在一直在。

更熟一些时候，他开始成为我身边少数几个主动担当的人，在我一拨又一拨的“杂烩局”中负责调整气氛：我们玩他发明的游戏，听他唱龇牙咧嘴的网络歌曲，看他跳自创的民族舞，也见识过他装醉时候痛哭流涕的抒情。

我们不知道哪根脑部神经长得差不多，对待对方的方式相当接近。比方说，我们都会很直接说出对对方的真实观感，不论节目，文字还是爱情观或交友方式。

所谓的“真实”当然以批评和质疑居多，在指出对方问题的这一点上，俩人都毫不留情。因为，我们都知道，“情”在这儿，没用。

这个世界上，大概很少人把你批得片甲不留却不让你感到受伤害。其实要做到也不难，只要你让对方确切地知道，你是如何地把 TA 放在心上。

我们似乎随时都会聊，似乎什么话题都聊。聊到兴致时可以不顾坐姿不顾吃相，不顾措辞地不用做铺垫地说出心底各种无伤大碍的小龌龊。

跟谁是否亲近，不在于你在 TA 面前多么完美，而在于你敢把多么不完美的自己在 TA 面前摊出来，不但摊出来，心情还很放松。

同同是不多的几个让我完全无所谓自己有多不完美的周围人，我们在彼此面前很放松，很真实，真实常常是不美的，但真实常常是令人内心柔软的。

渐渐，我很少会叫他名字，对别人说起他的时候，都是说“我弟”，说得很顺，全无挂碍。同同也一样，我是他姐，发嗲的时候叠字成姐姐，郴州味儿的。

这种感觉一度让我十分依赖，这种良好的姐弟情义在许多年似乎也没有经历过任何的考验，如果为了配合我们姐弟都是以写字为生，简直可以用“人生如初见般美丽”来形容它。本来就是嘛，因为不存在彼此占有，因为对对方没有额外期许，所以总觉得有股子如出水芙蓉般的和缓和真切。

哪知，天晓得，猛然有一天，刘同红了。

虽然在此之前我每年对他的祝福中都包含有“红”这一条，但一旦既成事实，我才恍然发现我原来那一堆一堆虚胖的祝福中有多少的“有口无心”。

他开始忙。我们各种见面通话吃喝玩乐的时间受到严重影响，他也不再像以前那样需要我带他去我的节目和写我的专栏，搞得我相当失落了好几个月。

随之而来他的迟到和爽约都能随时助长我的肝火，各种说辞都能在三秒钟之内演变成抬杠。

“对不起啊姐姐，我刚在录节目。”

“节目谁没录过啊？”

“我写东西呢。”

“我不用写吗？”

“见客户去了。”

“见客户了不起啊？”

……

巅峰之作是我们合录了一个节目，那个很喜欢同同的编导希望他把视频转在他的微博上。

而他拖延了很久，说是要酝酿一个符合他一贯微博行文方式的说法。

我彻底火了。

我们互发了十几条短信，每人写了总共超过千字。吵架。

接着就发生了前面说的那场冷战。

这个故事告诉你们，不要轻易让一个女人感到受冷落。不管她是你的情侣，亲妈，认的姐姐，或门口那个常年卖豆浆每天早上例行跟你打招呼的阿姨。

我们在冷战的那三个月没有通过电话，但偶尔还会见面。见面的无法避免是因为我们有几个关系紧密的共同朋友。

所以，我们这两个都已经年过三十的男女，像成绩很差的小学生一样，在一堆人之间，隔着不到3米的距离，如果要跟对方说什么话，都请朋友转告。

“你告诉刘同，那个首映我去不了了。”

“你跟微姐说，下周二我们的专栏要拍一组新图片。”

……

李响，陈默，郑艳，王玺等密友前后都扮演过递话的角色，均表现得十分称职，一个字儿都没篡改，语气都基本保持原样儿。

别笑，在做这么幼稚的事儿时，我们都挺严肃的。

再后来，那个深夜的电话来了。

不出我所料，他在煽情之后用湖南郴州式近似旋律的小甩腔执着地解释了一遍为什么没有立刻转发那个视频的微博。

他乌泱泱地说的几大篇可以总结成一句话：“每个想要飞起来的人都应该爱惜自己的羽毛。”

嗯，我总结得太有诗意了，他原话没这句，但就这意思。

故事的阶段式结局，是我们又傻没心眼儿地继续当回姐弟。从那天开始，我对自己的微博也比以前认真了很多，我认可同同说的那句，如果你以写字为生，就不能草率地对待自己写出去的字。

刘同的这本书里的所有内容都不是新写的。我也不担心，他对自己的爱惜，想必是由来已久。

我很喜欢的一本书，《与神对话》，里面有一句话："使你的生命成为礼物，要永远记得，你是那礼物。成为每个进入你生活的人的礼物，成为每个你进入其生活的人的礼物。要小心，如果你不能成为礼物，就不要进入那人的生活。"

刘同是我弟，我是他的姐姐。

我们在十年之前进入彼此的生活，迄今为止，都在努力地继续成为彼此的礼物。也希望，在打开这本书开始，刘同也能成为你生命中的礼物。

不完全心水歌单

吴名慧专辑《心情电梯》

她只发过一张唱片，有人说她模仿王菲，但你总能从不被市场接受的唱片里找到些共鸣。起码有人在听。而且永远记得住。

丁文琪《beautiful boy》《不说》《春倒》《起飞》

《失眠的秋千》

雨后的巷子里，只有一个人在走。两旁的二层楼里，偶然传出瓶罐碰撞的声音。

丁小芹《fantasy》《如果我是男生》《乖》

现在给很多朋友听，被评价为很怪的歌。我也不知道为什么，一听就觉得有意思。大概因为我也很怪的原因吧。

古巨基《花洒》《小指》《忘了时间的钟》《路边摊》

《中箭》《蜜蜂》以及好多叫不上名字的粤语歌

像自闭症的小孩，在黑幕中唱着歌。他的歌，唱给，每一个人想唱歌给自己的人。

光良《朋友首日封》

品冠《起床》

以及他俩还是"无印良品"时，发行的所有专辑

那是高中、大学里，平行的音乐轨迹。我和最要好的同学苏喆，只用他们的歌参加各种校园歌唱大赛，拿不到什么奖，但总能出点小风头。看他们的 MV，我对台湾的乡村有无限的期望，花莲什么的名字，很熟，至今，还没有去过。但我觉得快了。

侯湘婷《秋天别来》《秋天以后的故事》

所有的季节里，我对秋天格外的敏感。兴许是有夏天的炙热，春天的气息，冬天的凉意。我们那个年纪的人，对她大抵都有一些记忆。小文艺的清新，像每个校花都能唱出来的样子。这就是为什么我很喜欢音乐人姚谦老师的原因。他总是有能力抓住每个人心里想要的东西，侯湘婷，当时就是。

江美琪《我多么羡慕你》《路人》《夜的诗人》

《那年的情书》以及《悄悄话》《想起》两张专辑

我会主动买多几张 CD 放在身边，逢人就送。很多人只听过她几首歌，我听过她的全部。现在想让自己

安静时，她的歌是首选之一。和无印良品一样的位置。

锦绣二重唱《一同去郊游》《粉笔字》《月光》
《可惜他不懂》《学会离开》，好吧，她们所有的歌曲

在当当网上，她们的三张合辑打包低价甩卖。我买了五盒。一盒听，一盒留着，三盒送人。其实她们后来没那么红，我也觉得挺好。总有几个歌手，你觉得她们发专辑就是为你一个人发的，唱的歌就是为你一个人唱的。显然，后来陈绮贞变得大众情人了，我就不说我喜欢陈绮贞了。

陈绮贞《还是会寂寞》《after 17》《小步舞曲》
《让我想一想》《微凉的你》

我曾写过，我托网友帮我去台湾的咖啡馆买她的 demo，在电驴上下她没有公开发行的音乐。每个听中文歌曲，又曾自以为是文艺青年的人，都把听陈绮贞当成是入门教程吧。以前一个人的低吟浅唱，变成现在的万人大合唱。没有什么不好，你还记得自己和她在公交车上的场景，行人，游客，各色面孔，还有一两段失败的恋情也与之有关。挺好。

林凡《一个人生活》

熊天平许茹芸 2003 年前所有专辑
熊天平《爱情多瑙河》《最后还是会》《I wish》《心碎咖啡》《素描 papa》《藏书人》《火柴天堂》等
许茹芸《留底锁匙》《日光机场》《独角戏》《我依然爱你》《如果云知道》《寄信人》《寂寞海岸》等

现在很多歌手与歌的关系，都是歌是歌人是人。但那时，他俩让我觉得他们就是一首歌。深入浅出，百转千回。如果那时没有这些歌，我都不知道记忆这回事从何而来，如果不是伴随着音乐压缩了过去，我断然记不起种种曾经。音乐是记忆最好的载体。

宇多田光所有专辑《first love》
《can you keep a secret ？》《distance》
《for you》

第一次用拼音的方式标注出了日文，然后学习。我们班很多女生也干这事，只是后来才醒悟，只有我一个男的。

张栋梁《过渡期》《这首歌》

潘裕文《夏雨诗》

徐怀钰《LOVE》前所有的专辑

图书在版编目(CIP)数据

谁的青春不迷茫 / 刘同著. —北京：中信出版社,2012.12
ISBN 978-7-5086-3620-7
I.①谁… Ⅱ.①刘… Ⅲ.①人生哲学—青年读物Ⅳ.①B821-49
中国版本图书馆CIP数据核字（2012）第242839号

北京水木双清版权代理公司（全球图书全版权运营专家）
经本书著作权人刘同先生独家授权全权处理与本书版权相关的所有事宜。
更多合作，敬请联系：qiu@gwrep.com

谁的青春不迷茫

著　　者：刘　同
策划推广：中信出版社（China CITIC Press）
出版发行：中信出版集团股份有限公司
（北京市朝阳区惠新东街甲4号富盛大厦2座　邮编　100029）
（CITIC Publishing Group）
承 印 者：北京牛山世兴印刷厂

开　　本：880mm×1230mm　1/32　　印　　张：8.75
插　　页：40　　字　　数：238千字
版　　次：2012年12月第1版　　印　　次：2013年3月第10次印刷
书　　号：ISBN 978-7-5086-3620-7/G・885
定　　价：35.00元

服务热线：010—84849555　　传　　真：010—84849000
投稿邮箱：author@citicpub.com